LES PHILO-FABLES

pour la Terre

Une première édition de cet ouvrage a été publiée
par les Éditions Albin Michel en 2010.

MICHEL PIQUEMAL

LES PHILO-FABLES pour la Terre

Illustrations de Philippe Lagautrière

ALBIN MICHEL

Préface

Après Les Philo-fables *et* Les Philo-fables pour vivre ensemble, *voici* Les Philo-fables pour la Terre, *un recueil de textes destinés à interroger nos rapports à la nature.*

J'y ai rassemblé des fables et des contes glanés dans les traditions du monde entier. Des préoccupations, que l'on dirait aujourd'hui écologiques, y étaient en effet déjà bien présentes… « La Terre ne nous appartient pas, nous l'avons reçue en héritage pour la transmettre à nos enfants » est une idée que nous retrouvons dans le monde asiatique et amérindien, par exemple. Le dangereux et insatiable appétit de l'espèce humaine y est régulièrement dénoncé et moqué…

Seule notre tradition judéo-chrétienne a placé l'homme au centre de la création divine et insisté sur sa prédominance fondamentale sur tout ce qui vit. On n'y retrouve donc guère (mis à part chez saint François d'Assise !) d'attentions « écologiques ». L'injonction biblique de l'Ancien Testament « Emplissez la terre et soumettez-la » a même, hélas, servi de justification à de nombreuses surexploitations. Ce n'est donc pas un hasard si notre Occident chrétien ne s'est pas préoccupé de préserver la Terre. Au fil des siècles s'y est en plus développée une course effrénée et inconsciente aux profits industriels et commerciaux, responsables de la majorité des nuisances et des pollutions.

Mais la nature est venue nous rappeler à l'ordre. Nous ne pouvons continuer à nous comporter comme si nous étions les seuls maîtres d'une Terre aux ressources infinies et devons écouter les messages de sagesse des autres civilisations.

Le XXe siècle a rendu la problématique écologique plus criante. J'ai donc imaginé de nombreuses fables qui nous interrogent sur ces bouleversements considérables (société de consommation, cataclysmes en chaîne…).
J'y ai mêlé, en contrepoint poétique, la parole de quelques sages (écrivains ou poètes) conscients de la nécessité d'une harmonie entre homme et nature.
Pourtant, ces rapports harmonieux ne peuvent exister s'il n'y a pas parallèlement de respect et de solidarité des hommes entre eux. Aussi trouvera-t-on des fables qui mettent le doigt sur la nécessité d'une écologie sociale…
Comme dans les précédents recueils, j'ai souhaité que la lecture de ces paraboles puisse être discutée. Elles ne sont pas des leçons de morale, mais le point de départ d'une réflexion personnelle. Voilà pourquoi un petit atelier philosophique propice à interrogations vient les prolonger.
Ces écolo-fables (on pourrait bien les appeler ainsi !) voudraient plutôt nous responsabiliser. Que faisons-nous, chacun (adultes comme enfants !), pour protéger et épargner notre bien commun, la planète ? Quels gestes positifs pouvons-nous intégrer à notre quotidien ?
La survie de notre espèce humaine passe par une prise de conscience collective des dangers que nous créons et qui nous menacent. Les générations à venir auront des défis considérables à relever. Je ne doute pas qu'elles le feront si nous leur donnons, dès l'enfance, l'enthousiasme de ce combat salutaire.

Michel Piquemal

Sommaire

La part du colibri 10
À qui la faute ? 12
Un grillon à Chicago 15
Le vieillard qui plantait des arbres 17
Le printemps et l'hiver 20
Noix de coco 23
Le sage et le voleur 26
L'aviateur et le nomade 28
Pause poétique 30
La jarre fêlée. 32
Le fermier satisfait 35
Le gland et la citrouille 38
Le pêcheur et l'homme d'affaires 40
Les baguettes d'ivoire 43
Les troglodytes 46
Diogène et le marchand 49
Pourquoi le ciel est loin 51
Comment les arbres ont perdu la parole 54
Pause poétique 56
Le prince triste 58
Les œufs de la création 61
Tantale et le supplice du désir 64
L'or du roi Midas 66
Déméter et Perséphone 69
Comment la mort vint au monde 72
Pause poétique 74
Le papou et l'astrophysicien 76

Le paradis des oiseaux 78
Le pouvoir des fleurs et des sourires 81
Les trappeurs 84
Nomades 87
Pause poétique 90
La vraie nuit 92
Les étoiles de mer 95
Le poids d'un flocon de neige 98
L'ingratitude de la gazelle 101
L'ignorance du mal 104
Pause poétique 106
Les canards mandarins 108
Le mur mitoyen 111
Le loup et les bergers 114
Les deux cousins 116
Le prix des paniers 119
L'homme obèse 121
Publicité ou mensonge 123
La belle montre en or 126
Le partage 127
Salat-a-zein 129
Naturellement, naturellement 132
Pause poétique 136

Mots-clés 138
Bibliographie 140

engagement

responsabilité

écologie

La part du colibri

Un jour, dit la légende, il y eut un immense incendie de forêt. Tous les animaux, terrifiés et atterrés, observaient, impuissants, le désastre. Seul le petit colibri s'activait, allant chercher quelques gouttes d'eau dans son bec pour les jeter au feu. Au bout d'un moment, le tatou, agacé par ses agissements dérisoires, lui dit :
– Colibri ! Tu n'es pas fou ? Tu crois que c'est avec ces gouttes d'eau que tu vas éteindre le feu ?
– Qu'importe, répondit le colibri, je fais ma part.

Pierre Rabhi (né en 1938),
extrait de *La Part du colibri*

citoyenneté

altruisme

Dans l'atelier du philosophe

Si chacun attend pour agir que d'autres le fassent, nous ne sommes pas prêts de sauver la planète. Le colibri nous montre la voie. Que chacun, à son propre niveau, fasse sa part... et, comme le dit le proverbe, « les petits ruisseaux font les grandes rivières ». Pose-toi donc la question : quelle pourrait être ta part, si modeste soit-elle ?

équilibre réaction en chaîne

responsabilité collective

À qui la faute ?

Dans une paisible contrée, un lac déborda soudain, noyant brutalement les terres qui étaient en contrebas. Ce fut une terrible catastrophe ! Des jardins furent emportés, des villages submergés, des hommes précipités dans les eaux grondantes.

Lorsque la décrue s'amorça, les survivants en colère allèrent se plaindre auprès des divinités.

Ils furent reçus par celle qui avait en charge le juste équilibre des choses et exposèrent leur requête. La divinité convoqua donc le lac et le somma de se justifier.

– Ce n'est pas ma faute, répondit le lac. La rivière qui m'alimente a brusquement grossi et j'ai soudain gonflé comme une outre.

On convoqua donc la rivière.
– Ce n'est pas ma faute, répliqua-t-elle. Les torrents qui se jettent dans mes eaux ont cette année doublé de volume. Comment pouvais-je les retenir ?
On convoqua donc les torrents.
– Ce n'est pas notre faute, s'excusèrent-ils. Les neiges des montagnes ont fondu en quelques jours seulement et nous ont grossis comme des fleuves.
On convoqua donc les neiges des montagnes.
– Ce n'est pas notre faute, plaidèrent-elles. D'habitude, les sapins nous retiennent sur les hauteurs, mais cette année les hommes ont coupé tous les arbres à la fin de l'hiver.
Les villageois se firent alors tout petits, s'excusèrent auprès de tout le monde et reprirent leur chemin, songeurs.

Fable de l'auteur

Dans l'atelier du philosophe

L'écologie est une science qui nous enseigne que la nature résulte d'un équilibre de forces liées les unes aux autres. En modifiant un élément, on risque d'en modifier une quantité d'autres par une réaction en chaîne parfois imprévue. Qui aurait pu imaginer, par exemple, que le fait de faire paître des moutons dans une zone aride entraînerait sa désertification… ou que construire de grands parkings bétonnés où l'eau ne peut s'infiltrer serait la cause de grandes inondations ?

N'en déduisons pas pour autant que l'homme ne peut rien changer ni rien toucher… mais il doit être capable d'anticiper les conséquences. C'est là tout le but de l'écologie, pensée comme une science de la terre !

Les désastres que nous connaissons aujourd'hui avaient été annoncés par de nombreux savants. Ceux-ci ont tiré de multiples fois la sonnette d'alarme. À ton avis, pourquoi ne les a-t-on pas écoutés ?

Un grillon à Chicago

Un ethnologue américain reçoit un jour un de ses vieux amis indiens. Alors qu'ils marchent au milieu de la cohue des gens et des voitures hurlantes, l'Indien s'arrête soudain au coin d'une rue, tend l'oreille et dit :
– Tiens, j'entends un grillon.
Son ami s'étonne.
– Un grillon ? Laisse tomber, mon vieux, tu rêves. Entendre un grillon, à Chicago, dans ce vacarme ?
– Attends, dit l'autre.
Il va droit à l'angle d'un mur. Dans une fente de béton poussent des touffes d'herbe grise. Il se penche, puis s'en revient. Au creux de sa main, un grillon.
– Alors ça... bafouille l'ami. C'est incroyable. Une ouïe fine à ce point-là, tu es sorcier ou quoi ?
– Pas du tout, répond l'Indien. Chacun entend ce qui l'habite et ce qui est important dans sa vie. Regarde. Je vais te le prouver.
Il sort quelques pièces de sa poche et les jette sur le trottoir. Tintements brefs, légers,

fugaces. Dans la bousculade autour d'eux, tandis que les voitures, au feu du carrefour, klaxonnent, et rugissent, dix, quinze têtes se retournent et cherchent de l'œil, un instant, ces pièces de monnaie qui viennent de tomber.
– Voilà, c'est tout ! dit l'Indien.

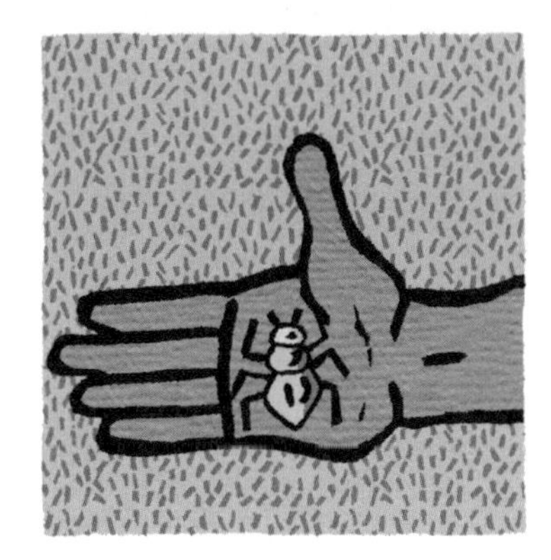

D'après Henri Gougaud
(né en 1936)

Dans l'atelier du philosophe

Nos sens (ouïe, vue, odorat...) reçoivent des millions de signaux à la minute. Notre cerveau doit donc faire un tri rapide et décider, en fonction de notre intérêt, ce qu'il retient.
Cette histoire laisse penser que bien des gens sont plus intéressés par le tintement d'une pièce que par le chant d'un grillon ou celui d'un oiseau. Notre société occidentale en serait arrivée à un point où les choses (et souvent hélas les personnes !) ne sont considérées qu'en fonction de leur valeur marchande. Es-tu d'accord avec pareil jugement ?

solidarité entre générations prévoyance

altruisme avenir responsabilité

Le vieillard qui plantait des arbres

Par un bel après-midi d'été,
un cavalier galopait sur les routes
de Provence. Il avait soif... et il se
maudissait de n'avoir rien emporté
dans les fontes de sa selle... quand
soudain il aperçut un paysan qui
travaillait dans un champ. Il alla
vers lui et se trouva en présence
d'un très vieil homme occupé à
planter. Ils s'assirent à l'ombre
d'un arbre et le vieil homme lui
donna à boire de l'eau bien fraîche
de sa cruche.
Se sentant mieux, le voyageur
voulut échanger quelques mots.

altruisme

prévoyance

avenir

– Dites-moi, mon bon ami, que faites-vous donc ici par cette chaleur ?
– Je plante des oliviers ! répliqua le vieillard.
– Mais, s'étonna le voyageur, quel âge avez-vous ?
– Presque quatre-vingt-dix ans !
– Sans vouloir vous offenser, pourquoi vous fatiguez-vous, à votre âge, à planter des arbres qui ne donneront leur récolte que dans une dizaine d'années ? Vous n'en mangerez hélas sans doute jamais le fruit !

– C'est vrai, répondit le vieillard, mais toute ma vie j'ai mangé des olives venues d'arbres que d'autres avaient plantés. Je plante pour que d'autres puissent plus tard manger celles que j'ai plantées...
Lorsque le voyageur remonta à cheval, il se dit que les paroles du vieil homme l'avaient autant rafraîchi que l'eau de sa cruche.

Fable de l'auteur

Dans l'atelier du philosophe

T'arrive-t-il de songer que les terres que nous cultivons ont été autrefois défrichées par d'autres ? Que les inventions techniques dont nous bénéficions sont le fruit des recherches des siècles précédents ? Nous faisons partie d'une longue chaîne et nous n'en sommes pas le bout. Il y aura d'autres générations après nous. Il est juste d'en avoir conscience. Que penses-tu de l'adage écologiste : « Nous ne possédons pas la Terre. Nous l'empruntons à nos enfants » ?

Le printemps et l'hiver

Un jour, raconte-t-on en pays bulgare, les hommes en eurent assez des rigueurs de l'hiver. Le froid était si pénétrant qu'ils adressèrent des suppliques à Dieu afin qu'il les délivre de ce terrible fardeau.
Dieu prêta l'oreille à leurs prières, mais il leur expliqua que leur situation risquait d'être bien pire s'il supprimait à tout jamais l'hiver.

– Rien ne peut être pire que ce froid cruel qui nous gèle les membres ! répondirent-ils.
Alors Dieu les exauça. Le temps changea brusquement. Et alors qu'on était à peine au début de l'hiver, la neige se mit à fondre, les fleurs à pousser, les oiseaux à gazouiller dans les arbres.
– Gloire à Dieu ! s'écrièrent les hommes. C'en est désormais fini des longues journées sans soleil, du froid et

des maladies, d'un sol dur comme de la pierre qui n'offre aucune nourriture...
Ils étaient donc satisfaits !
Mais avec l'absence du froid les animaux se multiplièrent. Les rats et les souris dévorèrent les récoltes. Les insectes, les poux, les punaises infestèrent le ciel et les habitations, rendant bientôt l'existence invivable. Les hommes ne pouvaient pas sortir sans être accablés par des nuées de moustiques et de taons.
Ils comprirent leur erreur et supplièrent Dieu pour

qu'il leur rende le froid vivifiant.
– Je vous avais pourtant prévenus, leur dit-il.
Mais il accepta de les exaucer à nouveau.

Alors le vent du Nord se remit à souffler, la neige à tomber et un froid sec détruisit insectes et parasites.
– Ah, quel beau temps ! s'écrièrent les hommes. Gloire à l'hiver qui nous a délivrés de ce printemps sans fin !

D'après un conte bulgare

Dans l'atelier du philosophe

Le bien et le mal, la vie et la mort, le bonheur et le malheur, le chaud et le froid… les uns ne vont pas sans les autres. Or, nos sociétés se conduisent comme les paysans de la fable. Elles voudraient avoir tous les avantages sans aucun inconvénient : « le beurre et l'argent du beurre », comme dit le proverbe populaire. Des cerises en plein hiver et de la neige pour faire du ski dans le désert. Des plaisirs immédiats dont les coûts et les conséquences écologiques sont souvent aberrants.
Et toi, es-tu du genre à accepter les désagréments de chaque saison ? Ou bien as-tu tendance à toujours t'en plaindre ?

Noix de coco

Sur une petite île d'Afrique, au cœur d'une forêt de cocotiers, vivait une communauté de singes. Les noix de coco étaient leur seule nourriture et ils devaient travailler dur pour aller les cueillir au sommet des arbres, les casser et les dépiauter. Pourtant, leur vie n'était pas vraiment malheureuse. Sans ce problème de nourriture, cela aurait même été le paradis ! Mais rien n'est parfait en ce monde !

Il n'est cependant pas interdit de chercher à améliorer sa condition. Aussi le Conseil des sages s'interrogeait sur le moyen de récolter plus en travaillant moins. Et ils finirent par trouver une solution : il suffisait de remuer violemment,

à quatre ou cinq, le tronc d'un arbre, de placer en dessous quelques roches pointues, et le travail se ferait seul. Au début, il y eut bien quelques accidents ; mais en se protégeant le crâne d'une moitié de noix de coco, le problème fut vite réglé. Désormais, la petite communauté n'eut plus qu'à se laisser vivre, se contentant de manger et de dormir. Les années passèrent et nos singes doublèrent de volume. Gros et gras, ils passaient leur temps à s'épouiller en sirotant du jus de coco. S'il leur avait fallu regrimper aux arbres, ils en auraient été incapables. Quant à secouer les troncs, il n'y eut bientôt plus de volontaires. La force et le désir leur manquaient. Par chance, ils avaient tant fait de provisions que ce n'était pas alarmant. Lorsque les réserves seraient épuisées, se disaient-ils en se dorant au soleil, ils trouveraient bien une solution…

Fable de l'auteur

Dans l'atelier du philosophe

Dans une certaine mesure, ne sommes-nous pas comme ces singes gros et gras qui brûlent leurs dernières ressources sans s'inquiéter du lendemain ?
Le progrès technique nous a libérés des travaux pénibles que peuvent désormais accomplir les machines… mais nous a aussi coupés d'un rapport direct à notre environnement. Quels dangers y vois-tu ? S'il nous fallait demain subvenir à nos besoins alimentaires, en serions-nous encore capables ?

Le sage et le voleur

Une nuit, un voleur pénétra dans le modeste ermitage où dormait le vieux sage Ryokan. Il n'y trouva bien sûr rien à voler.
Mais avant de partir, il vit Ryokan qui reposait sous sa couverture. Il s'empara alors de celle-ci et s'enfuit.
Réveillé par le froid, le sage se dressa et se rendit compte qu'on l'avait dépouillé.
Il en resta un moment étonné, puis il aperçut dans le ciel, par la fenêtre, la lune ronde qui brillait d'un éclat sans pareil.

possession superflu sagesse

Ryokan était un poète que rien ne pouvait troubler. Il composa sur-le-champ ce poème, devenu depuis très célèbre :
« Oh ! merveille
La lune si belle illuminant ma fenêtre,
Pourquoi le voleur ne l'a-t-il pas emportée ? »

Adapté de *Le bol et le bâton, 120 contes zen,*
Taisen Deshimaru (1914-1982)

Dans l'atelier du philosophe

Le bouddhisme zen est une philosophie du détachement. Le moine et poète Taigu Ryokan (1758-1831) en est une des figures les plus remarquables. Il a passé sa vie à mendier sa nourriture pour pouvoir méditer, écrire de courts poèmes et peindre. Une liberté payée au prix de la solitude, du froid et souvent de la faim.
Sa philosophie nous interroge sur l'importance qu'on donne aux choses dans la vie !
Le voleur de cette histoire n'a pas pensé à voler ce qui n'avait pas de valeur marchande… et sans doute n'en a-t-il jamais admiré la beauté !
Et toi, pourrais-tu faire une liste de choses matérielles dont tu serais prêt à te séparer sans que cela ne t'empêche d'être heureux ?

L'aviateur et le nomade

Du temps où les premiers pionniers de l'Aéropostale longeaient les côtes d'Afrique pour acheminer le courrier, un aviateur atterrit dans le désert tout près d'une caravane. Il lie connaissance, il boit le thé dans la tente des bédouins… et, tout fier de son avion, il explique à l'un des nomades :

– Tu vois, il n'a fallu que quelques heures à mon avion pour venir de cap Juby jusqu'ici… alors que ta caravane met plus de deux mois.

Le vieux nomade le regarde longuement puis, nullement impressionné, lui réplique :

– Et le reste du temps, qu'est-ce que tu fais ?

Histoire racontée par les aviateurs de l'Aéropostale…
et que l'on attribue parfois à Antoine de Saint-Exupéry

sagesse

bon sens

sérénité

Dans l'atelier du philosophe

Notre société semble s'être engagée dans une course sans fin contre le temps. Il faut toujours aller plus vite, il faut toujours faire quelque chose, ne jamais rester inactif ni contemplatif. Pourquoi avons-nous donc si peur du temps qui passe ? Pourquoi n'accepterions-nous pas de le savourer plutôt que de le brûler à grande vitesse ?
Et toi, t'accordes-tu parfois le temps de ne rien faire ?

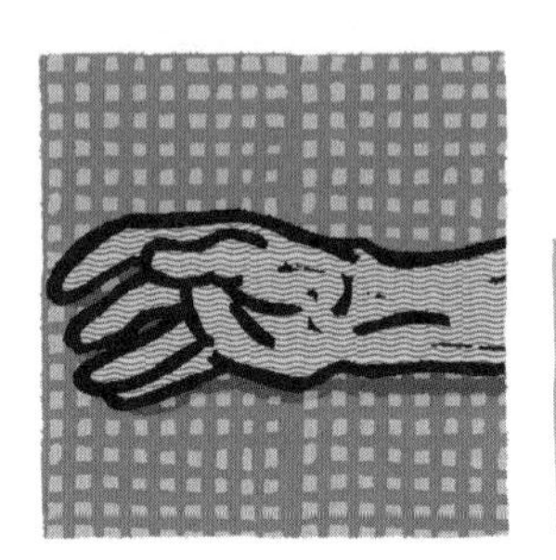

Pause poétique

Le même fleuve de vie qui court à travers mes veines nuit et jour court à travers le monde et danse en pulsations rythmées.
C'est cette même vie qui pousse à travers la poudre de la terre sa joie en innombrables brins d'herbe, et éclate en fougueuses vagues de feuilles et de fleurs.
C'est cette même vie que balancent flux et reflux dans l'océan-berceau de la naissance et de la mort.
Je sens mes membres glorifiés au toucher de cette vie universelle. Et je m'enorgueillis, car le grand battement de la vie des âges, c'est dans mon sang qu'il danse en ce moment.

Rabindranath Tagore (1861-1941),
extrait de *L'Offrande lyrique*

Eau, tu n'as ni goût, ni couleur, ni arôme, on ne peut pas te définir, on te goûte, sans te connaître. Tu n'es pas nécessaire à la vie : tu es la vie. Tu nous pénètres d'un plaisir qui ne s'explique point par les sens. Avec toi rentrent en nous tous les pouvoirs auxquels nous avions renoncé. Par ta grâce, s'ouvrent en nous toutes les sources taries de notre cœur.
Tu es la plus grande richesse qui soit au monde, et tu es aussi la plus délicate, toi si pure au ventre de la terre.

Antoine de Saint-Exupéry (1900-1944), extrait de *Terre des hommes*

La jarre fêlée

Tous les matins, un paysan chinois allait chercher de l'eau à la rivière. Il remplissait deux grandes jarres qu'il portait ensuite aux deux bouts d'un solide bâton posé sur ses épaules.
Mais l'une des deux jarres était fêlée et l'eau gouttait le long du chemin. La jarre en était affligée. Elle en souffrait, car elle avait le sentiment de ne pas accomplir correctement ce pour quoi elle était faite. Aussi, un jour, elle demanda pardon au paysan.
– De quoi donc dois-je te pardonner ? s'étonna-t-il.
– Tu le sais bien, lui dit-elle. Je suis fendue et je ne rapporte souvent à ta maison que la moitié de ce que tu as puisé. J'ai honte de moi. J'aimerais être comme ma compagne qui fait

avec honneur son travail de jarre.
– Retourne-toi, lui dit-il. Et que vois-tu de ce côté du chemin ?
– Des fleurs, des fleurs partout, tout le long de la route.

– Ces fleurs, c'est toi qui les as fait naître, et elles sont devenues belles parce que tu les arroses chaque matin ! Elles te rendent grâce, comme je te rends grâce, car je peux ainsi offrir de temps à autre un beau bouquet à ma femme. Regarde maintenant de l'autre côté du chemin ! Que vois-tu ?
– Il n'y a rien, rien que de la poussière sur un sol de cailloux.

– Certes, ta compagne fait au mieux son travail de jarre, mais elle n'a pas ton talent. Chacun fait selon sa nature ! Réjouis-toi d'être fendue et imparfaite, car, comme souvent, ta faille a son talent caché !

Conte chinois

Dans l'atelier du philosophe

Une société digne de ce nom se doit d'accueillir chacun avec générosité. Personnes handicapées, faibles ou âgées doivent y trouver leur place. Comme la jarre fêlée de l'histoire, chacun a sa richesse à apporter au groupe. Il en est de même des plantes et des animaux.
Dans la nature, tout a son utilité. Même les simples vers de terre, qui, en creusant le sol, l'aèrent et le rendent fertile. Même la coccinelle, qui protège nos jardins en dévorant plus d'une centaine de pucerons par jour. Le grand philosophe Emerson ajoute même qu'« une mauvaise herbe est une plante dont on n'a pas encore trouvé les vertus ».

Le fermier satisfait

Il y avait une fois un fermier dont les champs et les vignes portaient plus de fruits que ceux de ses voisins. On en parlait dans le pays comme d'un mystère. Certains n'étaient pas loin d'y voir quelque sorcellerie...
Un dimanche matin, au sortir de la messe, ces hommes entraînèrent le fermier à la taverne. Et tout en buvant un verre, ils l'entreprirent sur ce sujet.

– Si je vous comprends bien, répondit-il, vous pensez que mes terres portent plus de fruits

que les autres, et qu'il y a là quelque diablerie !
– Nous le pensons parce que nous le voyons, répliquèrent-ils. Qui pourrait en douter en contemplant chaque année tes récoltes ?
Le fermier réfléchit un instant, puis il reprit :
– Après tout, vous avez peut-être raison. Pourtant je n'y vois pas de diablerie. C'est tout simplement que j'ai le temps et la saison toujours à mon gré.
Eux de s'ébahir encore plus :
– Hé donc, comment peux-tu faire ?
– Ah, dit-il, c'est que mon gré suit le gré du temps et des saisons.
Je ne souhaite jamais un autre temps que celui que nous avons. Je ne lutte pas contre les désagréments

des saisons. Je les accepte et les accompagne, toujours satisfait. Ainsi, j'obtiens toujours de la terre ce qu'elle peut me donner de mieux.

D'après un conte traditionnel français

Dans l'atelier du philosophe Qu'en penses-tu ? Le fait de suivre les rythmes de la terre peut-il avoir une influence bénéfique sur les récoltes ? Que penser alors des recherches agronomiques qui incitent les agriculteurs à cultiver des légumes hors sol, des fraises sous serre en plein hiver, et à planter du soja dans des régions traditionnellement vouées à la vigne ou des palmiers à huile à la place des forêts primaires ?

Le gland et la citrouille

Allongé sous un grand chêne, au milieu d'un champ de citrouilles, Nasreddine Hodja* réfléchissait à la création de l'Univers. Il se disait : « On prétend que derrière chaque création il y a une grande sagesse ; mais dans ce champ, j'ai beau regarder, je n'en vois aucune : le chêne, qui est un arbre majestueux, porte des fruits ridiculement petits, alors que le plant de citrouille, qui rampe par terre, produit des fruits énormes. Là, le Créateur s'est probablement trompé. » Alors qu'il méditait ainsi, à moitié endormi, il reçut sur le nez un gland que le vent avait fait tomber du haut du

* Nasreddine Hodja : figure de l'humour et de la sagesse chez les Arabes, les Turcs et les Persans depuis le XIIIe siècle.

grand chêne. Nasreddine se frotta le nez et s'écria, fou de joie :
– Maintenant, je comprends la grande sagesse de la Création !

Fable traditionnelle de Nasreddine

Dans l'atelier du philosophe

Avec beaucoup d'humour, cette fable nous enseigne qu'il ne faut pas se fier aux apparences. Ne regardons pas la nature avec un point de vue trop simpliste. Ce sont des siècles de sélection naturelle et d'adaptation qui ont façonné les espèces animales et végétales qui nous entourent. Elles ont toutes leur utilité, et leurs interactions reposent sur un équilibre d'une grande complexité…
Sur les îles Galápagos, par exemple, le naturaliste Darwin a remarqué que des pinsons appartenant à la même famille ont tous des becs différents. Ceux qui se nourrissent de noix ont un bec assez large pour en casser la coquille, ceux qui chassent les insectes, un bec fin et étroit comme un harpon, et ceux qui boivent le nectar des fleurs de cactus, un bec allongé qu'ils utilisent comme une paille. De cette façon, les oiseaux n'épuisent pas, malgré leur nombre, les ressources limitées des îles. Cette toute petite différence de becs, à elle seule, permet de préserver l'équilibre.
As-tu déjà été surpris par l'ingéniosité de la nature ?

modération

besoin

décroissance

Le pêcheur et l'homme d'affaires

Un riche homme d'affaires était en vacances en Inde. Un matin, sur la grève, il aperçut un pêcheur qui rentrait.
– Oh là ! lui cria-t-il. La pêche a été bonne ?
Le pêcheur lui sourit et lui montra quelques poissons posés dans le fond de sa barque.
– Oui, c'est une bonne pêche.
– Il est encore tôt. Je suppose que tu y retournes.
– Y retourner ? demanda le pêcheur. Mais pour quoi faire ?
– Mais parce qu'ainsi tu en auras plus, répondit l'homme d'affaires, à qui

cela semblait une évidence.
– Mais pour quoi faire ? Je n'en ai pas besoin !
– Ceux que tu as en plus, tu les vendras !
– Mais pour quoi faire ?
– Tu auras plus d'argent.
– Mais pour quoi faire ?
– Tu pourras changer ta vieille barque contre un joli petit bateau.
– Mais pour quoi faire ?
– Eh bien, avec ton petit bateau, tu pourras avoir plus de poissons.
– Mais pour quoi faire ?
– Eh bien, tu pourras prendre des ouvriers.

– Mais pour quoi faire ?
– Ils pêcheront pour toi.
– Mais pour quoi faire ?
– Tu deviendras riche.
– Mais pour quoi faire ?
– Tu pourras ainsi te reposer.
Le pêcheur le regarda alors avec un grand sourire.
– C'est justement ce que je vais faire tout de suite.

D'après un récit de l'Abbé Pierre (1912-2007)

Dans l'atelier du philosophe

Cette histoire que m'a racontée avec beaucoup d'humour l'Abbé Pierre oppose deux visions de la vie. Le pêcheur vit au jour le jour et satisfait ses besoins par son travail. L'homme d'affaires, lui, cherche à posséder toujours plus, à accumuler des biens, des richesses. Pour ce faire, il est prêt à exploiter d'autres personnes. Il n'est pas dans le bonheur présent, mais dans un bonheur toujours à venir…
Et toi, serais-tu du genre pêcheur ou du genre homme d'affaires ? Du genre à te contenter de ce que tu as ou bien à en vouloir toujours plus ?

besoin nécessaire superflu
possession modération confort
conscience

Les baguettes d'ivoire

Dans l'ancienne Chine, un jeune prince décida de se faire fabriquer une paire de baguettes avec un morceau d'ivoire d'une grande valeur.
Lorsque le roi son père, qui était un sage, en eut connaissance, il vint le trouver et lui expliqua la chose suivante :
– Tu ne dois pas faire cela, car cette luxueuse paire de baguettes risque de te mener à ta perte !

Le jeune prince était interloqué. Il ne savait pas si son père était sérieux ou s'il se moquait de lui.
Mais le père poursuivit :
– Lorsque tu auras tes baguettes d'ivoire, tu te

rendras compte qu'elles ne vont pas avec la vaisselle de grès que nous avons à notre table. Il te faudra des tasses et des bols de jade. Or, les bols de jade et les baguettes d'ivoire ne souffrent pas des mets grossiers. Il te faudra des queues d'éléphants et des foies de léopards.

« Un homme qui a goûté des queues d'éléphants et des foies de léopards ne saurait se contenter d'habits de chanvre et d'une demeure simple et austère. Il te faudra des costumes de soie et des palais magnifiques. Pour cela, tu saigneras les finances du royaume, et tes désirs n'auront pas de fin.

« Tu aboutiras bien vite à une vie de luxe et de dépenses qui ne connaîtra plus de bornes.

« Le malheur s'abattra sur nos paysans, et le royaume sombrera dans la ruine et la désolation...

« Car tes baguettes d'ivoire sont comme la mince fissure dans la muraille, qui finit par détruire tout l'édifice.

Le jeune prince oublia son caprice et devint plus tard un monarque réputé pour sa grande sagesse.

Conte du philosophe chinois Han Fei (IIIe siècle avant notre ère)

Dans l'atelier du philosophe

Un désir en appelle un autre, et un désir satisfait en appelle souvent un plus grand. Or, nous vivons dans des sociétés où nous sommes sans cesse sollicités et tentés. Les médias, les publicités sont là pour nous présenter encore et toujours de nouvelles choses à posséder, la plupart du temps superflues. Comment résister à cette spirale sans fin ?

altruisme

solidarité

citoyenneté

Les troglodytes

Il y eut autrefois un peuple, les Troglodytes, qui décida de ne plus avoir de gouvernement. Chaque citoyen se débrouillerait par lui-même. Chacun veillerait uniquement à ses intérêts, sans se préoccuper de ceux des autres.
Arriva le mois où l'on ensemence les terres. Chacun se dit : « Je ne labourerai mon champ que pour qu'il me fournisse juste assez de blé pour me nourrir. Je ne prendrai pas plus de peine ! »
Les terres de ce petit royaume n'étaient pas toutes de même nature. Il y en avait d'arides et montagneuses et d'autres, dans la plaine, baignées par des cours d'eau. Ce fut une année de sécheresse... au point que les habitants des terres arides n'eurent guère de récolte et périrent presque de faim, car leurs voisins ne voulurent pas partager.
L'année suivante fut très pluvieuse. Cela fit le bonheur des habitants des terres de montagne...

mais les terres basses de la plaine furent submergées. Ce fut au tour des paysans de connaître la famine. Les habitants des montagnes se montrèrent aussi durs avec ces derniers que ceux-ci l'avaient été avec eux.
Par ailleurs, il y avait un homme qui possédait un champ très fertile. Deux de ses voisins s'unirent pour le chasser. Mais ils finirent par se disputer et l'un des deux tua son associé. Il ne profita guère longtemps de son bien. Deux autres Troglodytes vinrent l'attaquer et le tuèrent.
À quelque temps de là, un Troglodyte paysan qui se trouvait à cours de vêtements voulut acheter

de la laine à un berger. Celui-ci lui fit payer dix fois le prix. Mais lorsqu'il voulut à son tour se procurer du blé, le paysan le lui vendit à un tarif exorbitant.
En quelques années, ce royaume prospère devint une terre de désolation où ne régnaient plus que haine et misère.

D'après Montesquieu (1689-1755), *Lettres persanes*, lettre XI d'Usbek à Mirza

Dans l'atelier du philosophe Dans cette fable du philosophe Montesquieu, c'est le manque d'entente et de solidarité qui mène le peuple des Troglodytes à la ruine. On ne peut survivre seul. On a besoin des autres. Sans organisation sociale, l'homme est condamné à disparaître. Depuis toujours, s'il a pu s'imposer dans une nature hostile peuplée de prédateurs plus puissants que lui, c'est grâce à l'entente entre les individus. On l'oublie aujourd'hui dans une attitude du « chacun pour soi ». Mais qu'est-ce qui permet à chaque Français d'être soigné quels que soient ses revenus, d'aller à l'école gratuitement... sinon un choix de société basé sur la solidarité ?... De même, t'es-tu déjà demandé d'où vient ce que tu manges... sinon du travail d'autres personnes, qui vivent parfois si loin de chez nous (à des milliers de kilomètres !) qu'on a tendance à les ignorer ?...

consommation superflu besoin possession

Diogène et le marchand

On raconte que Diogène* sommeillait contre le tronc d'un arbre lorsqu'un riche marchand passa près de lui.
– Mes affaires se portent à merveille, lui dit-il, aussi, je voudrais t'en faire profiter. Prends cette bourse pleine de pièces.
Diogène le regarda sans faire un geste.
– Allons, lui dit le marchand, prends-la. Je te la donne, car je sais que tu en as bien plus besoin que moi.
– Ah bon, lui dit Diogène, tu as donc d'autres pièces comme celles-là.

* Diogène le Cynique (v.413 - v.327 avant notre ère), philosophe grec réputé pour son intransigeance morale.

– Oui, bien sûr, répondit en souriant le marchand. J'en ai beaucoup d'autres.
– Et tu n'aimerais pas en avoir encore beaucoup plus ?
– Si, bien sûr !
– Alors garde cette bourse et ces pièces, car tu en as plus besoin que moi.

Récit de l'Antiquité grecque

Dans l'atelier du philosophe

Le marchand croit que tout le monde voit la vie comme lui. Dans son esprit, s'enrichir est le seul moyen d'être heureux. Il n'imagine pas qu'il puisse y avoir d'autres façons d'envisager l'existence. Ne sommes-nous pas tous semblables à lui, incapables d'imaginer que les autres puissent avoir d'autres désirs, d'autres rêves, d'autres besoins que les nôtres ? Quant à notre société occidentale, sera-t-elle un jour capable de concevoir qu'il puisse exister d'autres modèles de civilisation que celui qu'elle impose à la planète entière ?

Pourquoi le ciel est loin

Au temps jadis de jadis, le ciel était à portée de main, et c'était quelque chose de merveilleux. Les hommes n'avaient pas besoin de travailler pour se nourrir. En effet, quand ils avaient faim, ils attrapaient un petit bout de ciel et ils le mangeaient.
Mais un jour, le ciel se fâcha, car les hommes ne le respectaient plus. Ils se coupaient souvent de grands morceaux de ciel qu'ils ne finissaient même pas et qu'ils jetaient aux ordures.

Le ciel les avertit : s'ils continuaient à le gaspiller, il s'en irait !
Les hommes, un peu impressionnés, lui prêtèrent à nouveau attention. Mais les années passèrent et l'avertissement du ciel ne fut bientôt plus qu'une lointaine parole.
Un jour, une femme vorace se coupa un énorme morceau de ciel. Elle en mangea toute la journée, mais elle ne parvint pas à le terminer. Elle appela son mari, mais il ne put pas le finir lui non plus. Elle appela alors toutes ses amies et tous les villageois, mais rien n'y fit... En désespoir de cause, ils jetèrent discrètement ce qu'il restait.

Mais le ciel avait tout vu et sa colère fut sans pareille. Il s'éleva aussitôt très haut, très haut, très haut... et il disparut à la vue des hommes.

C'est depuis ce temps que les hommes doivent cultiver le sol et travailler pour se nourrir !

D'après un conte africain

Dans l'atelier du philosophe

Ce conte africain ancien est étonnant de modernité écologique. Gaspiller les richesses de la nature est une aberration. Toutes les traditions anciennes insistent sur le nécessaire respect que l'on doit avoir pour la terre, l'eau, les plantes, les arbres, les animaux… Nos sociétés modernes ont-elles oublié ce respect ? Ne subissons-nous pas les conséquences de l'exploitation excessive des ressources naturelles, des mauvais traitements que nous infligeons à notre environnement ? Ne sommes-nous pas, chacun de nous, souvent en situation de gaspillage ? Quels sont les comportements que tu serais prêt à modifier ?

Comment les arbres ont perdu la parole

Il fut un temps où les arbres, les plantes et les herbes étaient des êtres vivants.
Oh, je sais, allez-vous me dire, ils le sont encore aujourd'hui.
Eh bien non, ils survivent, certes, mais ils ne sont pas vivants. Autrefois, les branches étaient comme des antennes, les feuilles comme des milliers de bouches. Les arbres écoutaient, les arbres parlaient. Ils étaient fiers, sauvages, libres. Ils traitaient d'égal à égal avec toutes les créatures vivantes. Même les hommes les respectaient. S'ils avaient besoin d'un peu de bois pour se chauffer, ils prenaient les branches mortes qui jonchaient le sol. S'ils avaient besoin d'un bout d'écorce, ils le demandaient poliment… et les arbres le leur donnaient en souriant.
Mais un jour, les hommes en ont eu assez de demander la permission. Ils ne supportèrent plus d'avoir en face d'eux des êtres fiers, sauvages et libres. Ils voulurent les courber sous leurs lois. L'herbe pouvait bien pousser, mais pas sur leurs chemins. Les arbres pouvaient bien exister, mais à

condition de leur donner des fruits à manger ou du bois pour se chauffer… sinon ils n'avaient qu'à disparaître pour faire un peu plus de place. Quant aux rochers, il fallait arrondir leurs angles.
Petit à petit, à force de ne plus jamais demander la permission aux arbres, à force de ne plus les écouter, ceux-ci arrêtèrent tout simplement de parler. On oublia le sens de leur langage. Et l'homme finit par se persuader qu'ils étaient muets depuis la nuit des temps.

Fable de l'auteur

Dans l'atelier du philosophe

Penses-tu, comme semble le dire cette fable, que notre attitude envers la nature est hautaine et méprisante ? Avons-nous trop exagéré notre importance d'humain, au point de ne plus accorder de respect aux autres créatures vivantes ? Le feuillage des arbres n'est-il là que pour nous procurer de l'ombre, les animaux pour nous servir de nourriture ? Que perd-on à ne les considérer que dans un sens utilitaire ?

Pause poétique

ON N'EST PAS N'IMPORTE QUI

Quand tu rencontres un arbre dans la rue, dis-lui bonjour
sans attendre qu'il te salue. C'est distrait, les arbres.

Si c'est un vieux, dis-lui « Monsieur ». De toute façon,
appelle-le par son nom : Chêne, Bouleau, Sapin, Tilleul…
Il y sera sensible.
Au besoin, aide-le à traverser. Les arbres, ça n'est pas
encore habitué à toutes ces autos.

Même chose avec les fleurs, les oiseaux, les poissons
appelle-les par leur nom de famille. On n'est pas
n'importe qui ! Si tu veux être tout à fait gentil, dis
« Madame la Rose » à l'églantine ;
on oublie un peu trop qu'elle y a droit.

Jean Rousselot (1913-2004), extrait de *Du blé de poésie*

Si j'aime, admire et chante avec folie
Le vent,
Et si j'en bois le vin fluide et vivant
jusqu'à la lie,
C'est qu'il grandit mon être entier et c'est qu'avant
De s'infiltrer, par mes poumons et par mes pores,
jusques au sang dont vit mon corps,
Avec sa force rude ou sa douceur profonde,
Immensément il a étreint le monde.

Émile Verhaeren (1855-1916), extrait de *À la gloire du vent*

Savez-vous que les arbres parlent ?
Ils le font cependant. Ils se parlent entre eux
et vous parleront si vous écoutez. L'ennui,
c'est que les Blancs n'écoutent pas.

Tatanga Mani, Indien Stoney (1871-1967)

Le prince triste

Il était une fois un jeune prince qui avait absolument tout ce qu'on peut désirer. Depuis sa plus tendre enfance, il n'avait jamais émis un désir sans qu'on le satisfasse aussitôt. Il voulait un ballon pour jouer, on lui en portait de toutes sortes : des ronds, des ovales, des petits, des grands, des bleus, des rouges... Il voulait de la crème fouettée, un cuisinier s'activait, et dans le quart d'heure, il en avait autant de jattes qu'il le désirait...

Et pourtant, ce prince s'ennuyait... Il n'avait aucune envie et se mourait d'ennui.

Les années passèrent et les parents dépensèrent tant d'argent pour rendre le sourire à leur fils, appelant à son chevet des centaines de médecins et de charlatans, qu'ils se ruinèrent. Tout l'or accumulé patiemment dans les coffres y passa. Ils

confort superflu

nécessaire

durent quitter leur beau château, abandonner pages, cuisiniers et équipage pour vivre dans une modeste demeure. Comprenant qu'ils ne pourraient désormais plus satisfaire les désirs de leur fils, ils étaient fous de douleur... Pourtant, le jeune prince ne parut pas affecté par cette nouvelle vie.

Pour la première fois même, il s'inquiéta de la santé de ses parents, qui avaient bien vieilli.

Lorsque leur misère devint si criante que même le pain manqua dans la maison, il se leva de sa couche. Puisque ses parents n'étaient plus en mesure de nourrir leur propre famille, c'était désormais à lui de s'y employer.

Il partit donc chercher du travail. Mais il ne savait rien faire et dut se contenter des emplois les plus humbles : garder les bêtes dans les champs, couper du bois, ramasser les fruits dans les

vergers... Cela ne le gênait pas. Il trouva dans le fait d'employer ses muscles et sa force une sorte de griserie, et lorsqu'il rentrait près des siens, il mangeait une tranche de pain noir de bon appétit... En le voyant sourire au soleil comme sourire à la pluie, les parents surent qu'il était guéri et purent mourir le cœur léger.

Fable de l'auteur

Dans l'atelier du philosophe

Pour se sentir exister, l'être humain a besoin de se mesurer à des difficultés. Il doit agir, créer... Une vie sans rien faire (même dans le luxe) ne peut le combler. Pourtant, nos sociétés suppriment peu à peu tous les travaux dans lesquels l'homme se mesure avec la nature et essaient d'imaginer un monde qui ne serait que « loisir ». Est-ce souhaitable ?

Les œufs de la création

Au commencement du monde, les cris des hommes et des bêtes ne troublaient pas encore notre terre.
Mais une nuit, un oiseau géant, venu d'au-delà du ciel, déposa sur notre planète trois gros œufs : un blanc, un noir et un tacheté.
Au matin, près d'une plage de sable fin, la coquille de l'œuf blanc se brisa. Et de ce seul œuf tout blanc naquit un animal de chaque espèce : un tigre, un lion, un ours, un renard, un mille-pattes, un écureuil…
À peine sorti de la coquille, chacun prit la direction du sud. Les uns nageant, les autres volant ou marchant. Et au bout de son voyage, chacun rencontra un animal qui lui ressemblait. Le lion rencontra une lionne, le

cheval trouva une jument, le singe une guenon, le renard une renarde… Car tout au sud, sur une plage de sable fin, la coquille de l'œuf noir s'était brisée.
Les animaux occupèrent toute la terre et firent des petits. Notre planète eut comme un grand sourire, car elle découvrait la vie.
Pourtant, à la lisière de la forêt, l'œuf tacheté était toujours là. Sa coquille ne s'était pas brisée et tous les animaux la considéraient avec respect.
Cela dura pendant des années ; cela dura pendant des siècles. Cela aurait pu durer toujours… si le lion et l'ours ne s'étaient pas disputés.
Le lion était le roi de la savane, l'ours le roi des forêts. Chacun voulut être roi de la terre.
– C'est moi le roi du monde, dit le lion, car l'œuf sacré est en ma possession !
– Non, dit l'ours, l'œuf sacré se trouve près de la forêt. Je suis le SEUL roi de l'univers !

Le lion voulut emporter l'œuf. L'ours essaya de l'en empêcher. Et la coquille se brisa.
Les animaux restèrent immobiles. Muets de stupeur, ils retenaient leur souffle quand… quelque chose bougea à l'intérieur ! Ils reculèrent, terrifiés.
Deux petits êtres, deux enfants humains, sortirent de la coquille. Toutes les bêtes les regardèrent avec une admiration mêlée de crainte.
Quant au lion et à l'ours, ils retournèrent chacun dans leur tanière. Ils avaient compris que rien ne serait plus comme avant…
Dans le regard des êtres humains brillait comme une étrange lumière.

Fable de l'auteur

Dans l'atelier du philosophe

Si l'on en croit cette fable, la naissance des êtres humains annonce une grave menace pour toute vie animale… comme s'il n'y avait de place sur notre planète que pour une seule espèce, la nôtre.
Mais l'homme est-il toujours destructeur ? Ne sait-il pas aussi parfois sauver des animaux en voie de disparition, entretenir des oasis pour limiter les déserts ? Connais-tu d'autres exemples de réalisations humaines qui aident à préserver la vie ?

Tantale et le supplice du désir

Tantale était roi de Lydie. On prétendait qu'il était aussi fils de Zeus. De par cette origine divine, il bénéficiait de multiples faveurs. Ami des dieux, ceux-ci l'invitaient même parfois à partager leur repas. Tantale aurait donc pu vivre dans une éternelle félicité. Hélas, cette situation privilégiée le gonfla d'orgueil jusqu'à lui faire perdre la tête.

Tantale trompa les dieux. À plusieurs reprises, il révéla aux humains les propos que tenaient les divinités sur l'Olympe. Et un jour, il alla jusqu'à dérober un peu d'ambroisie, la nourriture céleste, pour la faire goûter à ses amis.

Cette fois, c'en était trop. Zeus ruina le royaume de Tantale et voulut le tuer de sa main. Mais Tantale, qui avait mangé de la nourriture divine, était devenu immortel. Zeus le condamna donc à un immortel supplice.

Aujourd'hui comme hier et comme demain, Tantale est plongé dans un marécage. Il a soif. Mais dès qu'il se penche pour boire, l'eau se retire. S'il parvient à en mettre quelques gouttes dans sa main, elles disparaissent avant d'atteindre sa bouche, et Tantale a plus soif que jamais.

pollution

À portée de son bras, il y a un arbre magnifique, chargé de poires, de pommes, de figues sucrées et de grenades bien mûres. Tantale a faim, une faim dévorante, aussi grande que sa soif. Mais dès qu'il tend la main, un coup de vent pousse la branche hors de sa portée.
Voilà le châtiment que Zeus a inventé pour celui qui a trompé sa confiance…

D'après Homère (IXe siècle avant notre ère), *Odyssée*

Dans l'atelier du philosophe

Ce mythe sur le désir insatiable a des résonances étonnamment modernes. On emploie d'ailleurs l'expression « supplice de Tantale » pour parler d'une tentation dont la satisfaction toujours s'éloigne.
Beaucoup de penseurs y ont vu le symbole de notre société de consommation, toujours prise dans un tourbillon de désirs et incapable d'être satisfaite. Des milliers d'objets sont produits et nous sont présentés comme indispensables, créant en nous des besoins sans cesse renouvelés. Toujours plus de voitures qui polluent notre atmosphère, de nourriture qui finit à la poubelle, de gadgets inutiles qui contribuent à épuiser les ressources naturelles…
Un désir chasse l'autre, mais le contentement et la satiété n'arrivent jamais, faisant de l'existence humaine une suite de tourments et de notre planète une immense décharge.
As-tu parfois ce sentiment d'être dans une éternelle insatisfaction ?

L'or du roi Midas

Midas était roi de Phrygie. Un roi sans trop d'esprit, plutôt bon vivant, qui passait son temps en fêtes et banquets.
Un jour, Dionysos, le dieu du Vin, passa avec son cortège dans son royaume. Il était accompagné d'une joyeuse troupe, riant, chantant et faisant pousser la vigne sous ses pas. Puis le cortège s'éloigna. Mais après son départ, on trouva, couché au pied d'une souche, un vieillard ivre. C'était Silène, le compagnon éternel de Dionysos. Midas le recueillit dans son palais, le fit dormir dans sa plus belle chambre sur la couche la plus moelleuse et, à son réveil, lui offrit dix jours de fêtes et de réjouissances.

Lorsque Dionysos vint rechercher son compagnon, il fut si heureux de voir combien Midas avait pris soin de lui qu'il décida de le récompenser.
– Demande-moi ce que tu veux, lui dit-il, et je t'exaucerai !
Midas n'était guère réputé pour son intelligence. Sa réponse fut aussi vive qu'irréfléchie :
– Permets que tout ce que je touche se change en or !
Et un sourire un peu idiot éclairait son visage.
– Qu'il en soit fait selon ton désir ! lui répondit Dionysos avec un soupir.
Comme un enfant joueur, Midas toucha alors tout ce qui était à portée de sa main. Et tables, chaises, litières... tout se métamorphosa en or fin pour son plus grand ravissement. Il cueille un rameau d'olivier, le voilà rameau d'or. Il ramasse une motte de terre, cela devient un lingot rutilant.
Hélas, il aurait mieux fait de tourner sept fois sa langue dans sa bouche.
Le soir, un peu las de ce petit jeu, il eut l'envie de se restaurer. Mais lorsque ses serviteurs lui apportèrent son repas, les mets qu'il porta à ses lèvres se changèrent aussitôt en or. Il avait soif : l'eau de la cruche devint du métal précieux.

Terrifié, il implora la clémence de Dionysos. Il avait compris que le don de ce dieu le menait tout droit à une mort certaine. Dionysos accepta de retirer cette faveur bien encombrante, espérant que l'expérience lui servirait de leçon.
– Va te tremper dans la source du fleuve Pactole et tu perdras ce pouvoir fatal, dit-il.
Midas n'attendit pas une seconde de plus. Soulagé, il put enfin boire et manger. Mais l'on prétend que c'est pour cette raison que, depuis ce jour, le fleuve Pactole charrie des pépites d'or.

Mythe de l'Antiquité grecque

Dans l'atelier du philosophe Ce qui permet la vie, c'est ce qui se boit, ce qui se mange. En le changeant en or, Midas (qui n'y avait pas réfléchi) est bien attrapé. Car l'or ne se mange pas, ne se boit pas !
N'avons-nous pas fait de même avec les ressources de notre planète ? En les exploitant inconsidérément pour les changer en or, ne les avons-nous pas épuisées, au risque de condamner une grande partie de l'humanité (près d'un milliard d'humains !) à souffrir de la faim ?

Déméter et Perséphone

Les Grecs anciens racontent que Déméter, la déesse de l'Agriculture et des Moissons, avait une fille, Perséphone, qu'elle adorait. Celle-ci était si belle que le dieu des Enfers, Hadès, en tomba amoureux. Alors qu'elle se promenait au milieu des champs, il lui tendit un piège à l'aide d'une magnifique fleur magique. Lorsque Perséphone tendit la main pour la cueillir, la fleur l'entraîna dans les profondeurs de la terre.
Le soir, Déméter s'inquiéta de ne pas voir rentrer sa fille. Pleurant toutes les larmes de son corps, elle questionna hommes et dieux, mais nul ne voulut lui dire ce qui s'était passé. Finalement, ce fut Hélios, le dieu du Soleil, qui eut pitié de sa détresse. Il lui révéla l'horrible vérité. Désespérée et se sentant trahie par tous les dieux, Déméter alla sur la terre se cloîtrer dans un temple. Cette année-là fut terrible

pour les hommes, car la déesse ne fit plus rien pousser. Aucune semence ne germa. Aucune moisson.
Du haut de l'Olympe, Zeus, le dieu des dieux, commença à s'inquiéter. Si Déméter laissait mourir les hommes de faim, qui rendrait hommage aux dieux, qui leur ferait des prières et des offrandes ? Il envoya donc son fidèle messager, Hermès, pour tenter de la raisonner. Déméter resta inflexible. Tant qu'on ne lui rendrait pas sa fille, elle laisserait dépérir le monde.
Alors Zeus dépêcha Hermès pour ordonner à Hadès de rendre Perséphone. Mais Hadès invoqua une loi des Enfers qui disait que quiconque avait mangé de sa nourriture devait y rester. Or, pour la rafraîchir, il avait fait sucer à Perséphone six pépins de grenade.
À cette nouvelle, Zeus se mit dans une grande colère. Il était le dieu des dieux. C'est à lui qu'il appartenait de trancher.
Puisqu'elle avait mangé six pépins de grenade, décida-t-il, Perséphone resterait six mois sous la terre. Les six autres mois, elle irait retrouver sa mère sur l'Olympe.
Et c'est pourquoi, nous dit la légende, durant les mois d'hiver, la terre perd ses fleurs et ses fruits, car Déméter est

cloîtrée dans sa douleur. Mais au printemps, lorsque Perséphone lui est rendue, la terre peut à nouveau reverdir et refleurir… et c'est le cycle immuable des saisons.

Mythe de l'Antiquité grecque

Dans l'atelier du philosophe

Pour s'expliquer des phénomènes qu'elles ne comprenaient pas, les cultures traditionnelles inventaient de belles histoires : les mythes. S'il y avait des éclairs dans le ciel, c'était parce que Zeus en colère frappait le sol avec son bâton. Et si l'hiver voyait la nature dépérir, c'était parce que Déméter pleurait la disparition de sa fille. Ces explications permettaient de rassurer les hommes et de leur faire accepter la dureté de certains phénomènes naturels. Les découvertes de la science n'ont pas tari notre besoin d'histoires et de merveilleux. Aujourd'hui encore, la symbolique très forte de ces mythes ne cesse de nous émerveiller. Connais-tu d'autres grands mythes de la mythologie grecque ?

Comment la mort vint au monde

Selon la légende, le dieu Soko avait créé le monde et les hommes. Il les avait fait immortels. Mais un jour, l'homme et la femme vinrent se plaindre auprès de lui :

– Pourquoi ne nous donnes-tu pas des enfants ? dit l'homme. Ils m'aideraient à rapporter le gibier lorsque j'irai à la chasse.

– Ils mettraient de la joie dans notre foyer, ajouta la femme. Je me sentirais moins seule quand mon mari serait en forêt.

– Allons, leur répondit Soko, ne savez-vous pas que ceux qui donnent naissance à des enfants doivent tôt ou tard mourir ? Êtes-vous prêts à mourir pour avoir des fils et des filles ?

– Je suis prêt, dit l'homme. Lorsque ma femme portera mon enfant, je serai si heureux que cela ne me fera rien de mourir !

– Qu'il en soit fait selon votre volonté, soupira le dieu Soko.
Près de lui, il y avait un amas de pierres et de rochers.
– Et vous, leur demanda-t-il, voulez-vous aussi avoir des enfants ?
Mais les pierres n'en avaient pas envie.
– Qu'il en soit fait selon votre volonté, répéta le dieu Soko.
Et c'est pourquoi, depuis cet ancien temps, les hommes et les femmes meurent après avoir vu grandir leurs petits... tandis que les pierres, elles, sont immortelles.

D'après un conte d'Afrique noire

Dans l'atelier du philosophe

Ce conte présente la mort comme une nécessité. Si les hommes veulent avoir des enfants, les voir jouer, les voir grandir... ils doivent accepter de mourir. Car la terre ne pourrait supporter une humanité qui s'accroîtrait indéfiniment.
La mort est indissociable du renouvellement de la vie. Les végétaux morts et tombés à terre forment l'humus, un terreau sans lequel rien ne pousserait. Un cadavre d'animal sert de nourriture à de nombreuses autres espèces, insectes, oiseaux, renards... C'est un équilibre nécessaire à l'écosystème, une étape dans le cycle de la vie. En mourant nous-mêmes, nous cédons la place aux jeunes générations.
Le thème de l'immortalité est réapparu ces dernières années. Des scientifiques rêvent de faire reculer l'âge de la mort (à 120 ans ? 150 ans ?)... et, pourquoi pas, de nous rendre immortels. Ce conte africain semble avoir plus de bon sens qu'eux !
Rêves-tu, toi aussi, de vivre toujours ?

FESTINS

L'oiseau a mangé le ver
Le renard a mangé l'oiseau
Le loup a mangé le renard
L'ours a mangé le loup
L'homme a mangé l'ours.

Et le ver mangera l'homme
Et tout va recommencer.

Le jour mangera la nuit
La nuit mangera le jour.

Poème anonyme des Indiens Inuits

Les fleurs qui sentent si bon sont nos sœurs, les cerfs, les chevaux, les grands aigles sont nos frères ; les crêtes rocailleuses, l'humidité des prairies, la chaleur du corps des poneys et l'homme appartiennent à la même famille.

Extrait du discours du chef Seattle, Indien Dwamish,
Déclaration de Port Elliott (1855)

Tout, comme toi, gémit ou chante comme moi ;
Tout parle. Et maintenant, homme, sais-tu pourquoi
Tout parle ? Écoute bien. C'est que vents, ondes, flammes,
Arbres, roseaux, rochers, tout vit !
Tout est plein d'âmes.

Victor Hugo (1802-1885), extrait de « Ce que dit la bouche d'ombre », *Les Contemplations VI* (1856)

Le papou et l'astrophysicien

Un jour, un astrophysicien fut mis en présence d'un Papou. Grâce à un interprète, ils commencèrent à bavarder. Le Papou se montra très intéressé par les recherches du scientifique et il lui demanda sur quel problème, à ce moment-là, il travaillait.
– Notre grand rêve, lui dit l'astrophysicien, est de trouver de la vie sur la planète Mars.
– Pourquoi ? s'étonna le Papou. Votre vie sur cette terre est donc un échec ?

D'après Jean-Claude Carrière (né en 1931),
Le Cercle des menteurs, tome 2

terre

Dans l'atelier du philosophe

Le Papou fait ici office du Candide, c'est-à-dire du naïf dont la fraîcheur des questions interroge. Le budget américain pour la recherche spatiale (20 milliards de dollars) permettrait de nourrir cinq fois la planète ; pourquoi dépensons-nous tant d'argent à pareil projet alors que nous n'avons pas résolu des problèmes aussi graves que la guérison de la lèpre ou la faim dans le monde ? Cette « course spatiale » se fait-elle parce que la Terre, usée et saccagée, est bonne « à jeter » ? Ou bien est-ce l'orgueil qui aveugle le bon sens des grandes puissances ?

Le paradis des oiseaux

Le capitaine Badding, de Liverpool, faisait au XIXe siècle commerce avec les Indes, d'où il rapportait des cotonnades. Un jour, afin de se ravitailler en eau, il relâcha dans une petite île perdue de l'Océan. Il la baptisa « le Paradis des oiseaux » tant ses côtes en étaient peuplées. C'était un vrai enchantement, un spectacle extraordinaire. Des milliers d'oiseaux bariolés de toutes

espèces formaient un ballet
incessant au-dessus des rochers.
Badding sympathisa avec les
quelques habitants de l'île et
séjourna parmi eux une longue
semaine.
Au moment de les quitter, il ne
savait pas trop quoi leur offrir
pour les remercier de leur
hospitalité. Puis, remarquant
dans certaines maisons la
présence de souris, il décida
de leur faire don d'un couple de
chats de son bateau, un animal
inconnu sur l'île. Ainsi, pensa-
t-il, les félins nettoieraient les
maisons de ces encombrants
rongeurs.
Le temps passa… et ce n'est
qu'une dizaine d'années plus
tard que Badding repassa par
le Paradis des oiseaux.
Hélas, il faillit ne pas reconnaître
l'île d'autrefois. On n'entendait

plus sur l'île le moindre froissement d'ailes. N'ayant pas de prédateurs, les chats s'étaient multipliés et étaient retournés à l'état sauvage. En quelques années, ils avaient nettoyé l'île de tous les rongeurs, mais aussi de tous les oiseaux qui y nichaient.

Conte de l'auteur

Dans l'atelier du philosophe

Les exemples abondent d'îles où l'introduction d'un seul couple de chats, de chèvres ou de lapins a totalement modifié l'écosystème, de façon parfois dramatique. Sur les îles Kerguelen, des chats apportés par les marins ont ainsi décimé la population de certains oiseaux, comme les pétrels. De manière plus grave, des îles entières ont été détruites par des chèvres laissées par les navigateurs espagnols du XVIe siècle. Quant à l'Australie, cet immense continent fut au XIXe siècle envahi par des dizaines de millions de lapins qui y provoquèrent de terribles ravages. Tout cela parce qu'un Anglais nostalgique y avait apporté un seul couple de ce petit mammifère !
La nature a patiemment créé des écosystèmes fragiles. Il suffit parfois de peu de chose pour en détruire l'équilibre.

Le pouvoir des fleurs et des sourires

Lorsque le capitaine Marlston découvrit l'île de Boamaha, il resta sidéré. Les indigènes vivaient à moitié nus dans des paillotes sur le bord des plages, se contentant de subsister en pêchant quelques poissons. Le soir, ils faisaient des fêtes au cours desquelles ils abusaient de vin de palme.
En bon Britannique qu'il était, le capitaine trouva cela inadmissible, et il prit possession de l'île au nom de son pays. Puis il expliqua aux indigènes tout ce qu'ils pourraient tirer de leur terre avec un peu de bonne volonté : monter une usine de conserves de poissons, une filature pour confectionner des vêtements décents, fouiller le sol à la recherche de métaux précieux... La reine d'Angleterre s'engageait en son nom à les aider.

Les indigènes ne disaient jamais non, se contentant toujours de sourire poliment. Ils le laissaient dire et ne changeaient rien à leur façon de vivre. Le plus étrange, c'est que la plupart des marins semblaient, eux, s'accommoder fort bien des coutumes locales. Ils se laissaient pousser barbe et cheveux, prenaient femme et, à la manière des indigènes, occupaient leurs journées à pêcher, à discuter, à jouer, à se reposer... Pendant ce temps, Marlston s'épuisait à tenter de convaincre les chefs de la nécessité de réorganiser l'île.
Les chefs adoraient ces discussions où l'on buvait du vin de palme durant des heures. Et Marlston à son

tour finit par oublier pourquoi il les réunissait. Au bout de quelques mois, il se laissa lui aussi pousser barbe et cheveux et s'abandonna enfin à regarder les sourires des femmes.
On n'a jamais revu le capitaine Marlston. L'amirauté britannique prétend que son navire a coulé au large d'îles inconnues.

Fable de l'auteur

Dans l'atelier du philosophe

Cette fable s'inspire de faits réels. Lors de naufrages, des Occidentaux ont été ainsi confrontés à une autre façon de concevoir l'existence, sur des îles parfois paradisiaques. La plupart du temps, la rencontre a tourné à l'avantage des indigènes. Ce sont les « nouveaux arrivants » qui ont adopté la façon de vivre des peuples « sauvages »... et non le contraire. De même, lorsque les premiers pionniers sont arrivés au Canada, beaucoup sont devenus coureurs des bois. Et ils se sont trouvés si à l'aise dans les tribus indiennes qu'ils se « sont faits » indiens à leur tour !
Ne pourrions-nous pas nous aussi apprendre à profiter davantage d'un sourire ou d'un rayon de soleil et à goûter les plaisirs simples que le quotidien nous offre ?

équilibre écologie biodiversité modération

Les trappeurs

Au Canada, vers la fin du XVIIe siècle, on pouvait devenir riche en vendant les peaux des animaux à fourrure. Aussi, comme beaucoup d'autres, Jacques et Jean s'étaient faits coureurs des bois. Ils avaient quitté Montréal pour devenir trappeurs de loutres et de castors dans les grandes forêts.

Ils s'étaient enfoncés très loin sur la rivière Outaouais, en territoire indien. Et là, à un endroit où le cours d'eau se partageait en deux bras, ils avaient suivi chacun leur rive, bien décidés à y trapper les animaux à fourrure.

Chaque année, au grand rassemblement de printemps de Fort Lartigue, ils se retrouvaient pour vendre leurs peaux.

Mais Jean en avait toujours plus que Jacques. Et parfois, il se moquait de son ami :
– Je ne te comprends pas ! Ne t'es-tu pas établi avec un groupe d'Indiens ? Tu trappes avec eux. Tu devrais donc bénéficier de leur science ancestrale de la chasse...
Jacques ne répondait pas. Il était moins doué que son ami, voilà tout !
Pourtant, au bout de quelques années, les choses changèrent. Jacques rapportait toujours autant de peaux... tandis que le stock de Jean s'amenuisait.
– Je crois bien que le filon s'est épuisé ! finit-il par dire à son ami. Je vais devoir me trouver une autre rivière ou retourner à Montréal. Tu as bien de la chance que ton bras de rivière continue à te donner autant de loutres et de castors !
– Je ne crois pas que ce soit la chance, lui répliqua son ami. Comme tu le sais, j'ai appris

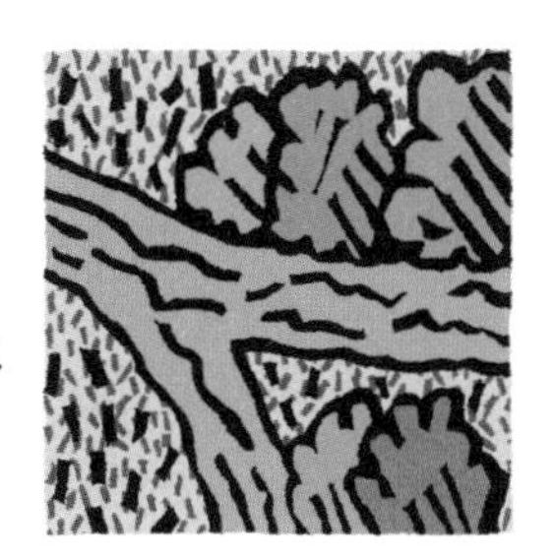

à trapper les animaux à fourrure avec les Indiens. Et lorsqu'ils posent des pièges dans une colonie de castors, ils relâchent toujours deux mâles et deux femelles pour que la colonie puisse se repeupler. Voilà pourquoi, dans les premiers temps, je rapportais au Fort moins de peaux que toi... mais qu'aujourd'hui ma rive est toujours aussi giboyeuse !

Fable de l'auteur

Dans l'atelier du philosophe

Autrefois, les peuples que l'on disait sauvages s'efforçaient de vivre en harmonie avec la nature. Ils ne se comportaient pas face à elle en pillards. N'ayant aucun moyen de conservation (type réfrigérateur !), ils « prélevaient » juste le gibier dont ils avaient besoin pour se nourrir sur le moment. Ils respectaient la terre nourricière, qu'ils appelaient « Notre Mère ».
Sans avoir le fantasme de revenir à ces temps anciens, n'avons-nous pas des choses à apprendre de ces sociétés dites « non civilisées » ?

nécéssaire consommation

besoin

superflu possession

Nomades

Alors que les explorateurs Lewis et Clark traversaient l'Ouest américain au printemps 1804, ils rencontrèrent au milieu de la prairie une bande d'Indiens Lakotas. Grâce à leurs interprètes, ils purent lier connaissance et ce fut un échange sans fin de cadeaux. Les Indiens avaient de belles peaux de bison, des paniers d'osier qu'ils fabriquaient, des sacs de peau retournée... Lewis et Clark leur offraient en échange leur verroterie, leurs couvertures de laine, leurs poteries peintes...

Les Indiens semblaient ravis de ces moments de partage et d'amitié. Pourtant, lorsqu'à son retour

l'expédition repassa par les mêmes contrées, elle retrouva tous ces objets abandonnés. Les poteries et les couvertures jonchaient le sol, comme d'ailleurs les paniers d'osier et les jarres d'argile cuite que les Indiens fabriquaient.
Lewis et Clark ne comprenaient pas... Ce furent leurs interprètes qui leur fournirent l'explication. Les Lakotas étaient des Indiens nomades. Ils ne transportaient avec eux que le strict nécessaire. Les rares objets dont ils avaient besoin (récipients, piquets de tente...), ils les confectionnaient à nouveau à chaque campement. Ce qui comptait pour eux, ce n'était pas ce qu'on possède, mais les qualités du cœur : la bravoure, la droiture, la générosité, l'harmonie avec la nature... Tout le reste pouvait bien être abandonné !

Fable de l'auteur

superflu

besoin

nécessaire

Dans l'atelier du philosophe

Nos ancêtres chasseurs-cueilleurs de la préhistoire étaient aussi des peuples nomades. Ce n'est qu'au néolithique que nous nous sommes sédentarisés. Nous y avons gagné, par la construction de « maisons en dur », de confortables conditions de vie et, grâce à l'agriculture, une meilleure alimentation. Mais ce fut aussi le début de guerres incessantes pour le partage des territoires, liées à une véritable passion pour l'accumulation de biens et de richesses.

Le progrès matériel est à double tranchant. Le plus qu'il nous donne en confort, il nous le reprend souvent sur le plan spirituel. Nous devons rester vigilants et apprendre à connaître ce qui est vraiment essentiel pour nous. Y a-t-il des choses que tu as voulu à tout prix posséder et qui te semblent aujourd'hui superflues?

Pause poétique

Les Blancs se sont toujours moqués de la terre, du daim ou de l'ours. Quand nous, Indiens, tuons du gibier, nous le mangeons sans laisser de restes. Quand nous déterrons des racines, nous faisons de petits trous. Quand nous construisons nos maisons, nous faisons de petits trous. Quand nous brûlons l'herbe à cause des sauterelles, nous ne ruinons pas tout.
Pour faire tomber glands et pignons, nous secouons les branches. Nous ne coupons pas les arbres. Nous n'utilisons que du bois mort. Mais les Blancs retournent le sol, abattent les arbres, massacrent tout. L'arbre dit : « Arrête, j'ai mal, ne me blesse pas. » Mais ils l'abattent et le découpent en morceaux. L'esprit de la terre les hait. Ils arrachent les arbres, la faisant trembler au plus profond.
Comment l'esprit de la terre pourrait-il aimer l'homme blanc ? Partout où il la touche, elle est meurtrie.

Une vieille Indienne Wintu

Qu'est-ce que la vie ? C'est l'éclat d'une luciole dans la nuit. C'est le souffle d'un bison en hiver. C'est la petite ombre qui court dans l'herbe et se perd au coucher du soleil.

Crowfoot, chef indien blackfeet (1821-1890)

Lorsque le dernier arbre aura été abattu, que la dernière rivière aura été empoisonnée, que le dernier poisson aura été capturé, vous vous rendrez compte que l'argent ne se mange pas.

Attribué au chef Seattle, Indien Dwamish,
Déclaration de Port Elliott, 1855

La vraie nuit

Un grand chaman avait été invité par un ethnologue à venir voir toutes les belles choses inventées par la civilisation moderne. Durant plusieurs jours, l'ethnologue promena le chamane et celui-ci allait d'étonnement en émerveillement. Pourtant, il désira rentrer bien vite chez lui. Et quand l'ethnologue lui en demanda la raison, il prononça une parole fort énigmatique :
– Je ne peux pas me passer de la nuit. Je ne comprends pas comment vous pouvez vivre sans la nuit. Qui vous l'a donc volée ?

Pendant des mois et des mois, l'ethnologue s'interrogea sur cette parole. Qu'avait donc voulu dire le chaman ? Au bout de plusieurs années, n'en pouvant plus, il prit l'avion pour aller lui poser la question.
Le chaman s'était retiré dans un endroit très reculé. L'ethnologue dut faire un long voyage à dos de mule, bivouaquant le soir au milieu de la nature. Une nuit, l'aboiement d'un coyote le réveilla. Il se leva et sortit dans la nuit noire et profonde. Au-dessus de lui, la voûte du ciel était constellée de millions d'étoiles. C'était un spectacle extraordinaire, époustouflant de beauté. L'ethnologue comprit enfin.

Voilà ce qu'était la vraie nuit, que les lumières de la ville avaient depuis toujours dérobée à ses yeux.

Fable de l'auteur

Dans l'atelier du philosophe

Celui qui vit dans une grande ville ne connaîtra jamais l'incroyable beauté de la nuit. L'éclairage électrique omniprésent cachera à ses yeux le spectacle magique de la Voie lactée… Certes, il ne le ressentira jamais comme un vol, et pourtant, voilà bien une beauté gratuite dont le monde moderne l'aura dépossédé. Pour en alerter l'opinion, une association de citoyens avait, il y a quelques années, porté plainte contre la mairie d'une grande ville pour pollution visuelle. Qu'en penses-tu ? Trouves-tu ce geste saugrenu ou justifié ?
Tout progrès technique s'accompagne d'une perte qu'il est difficile de mesurer. Il est bon de prendre le temps de réfléchir aux avantages et aux inconvénients de ces innovations. Les lumières de la ville nous dérobent la beauté magique de la nuit, les légumes du supermarché disponibles été comme hiver nous privent du plaisir des retrouvailles saisonnières… Peux-tu citer d'autres exemples ?

Les étoiles de mer

Un homme cheminait, le front bas, le long de la plage. De temps en temps, il se penchait, ramassait au bord des vagues, sur le sable, on ne savait quoi, et le jetait au loin dans la mer.

Un promeneur qui l'observait avec curiosité s'approcha de lui, le salua et demanda :

– Que faites-vous ?

– Vous le voyez, répondit l'autre, je rends à l'océan ses étoiles de mer. La marée les a apportées, elles sont restées là, sur le sable.

Je dois les remettre à l'eau, sinon, c'est sûr, elles vont mourir.
– Des étoiles de mer, signala le promeneur, rien que sur cette plage, il y en a des milliers. Et le long de toutes les côtes, tous les jours, il s'en échoue des millions, que vous ne pourrez pas sauver ! C'est leur destin. Vous n'y pouvez rien changer.
L'homme ramassa une étoile, la tint un instant dans sa main...
Il murmura :

– Oui, sans doute, vous avez raison.
Mais en la rejetant dans les vagues, il ajouta :
– Mais pour elle, ça change tout.

D'après Henri Gougaud (né en 1936)

Dans l'atelier du philosophe

Beaucoup de gestes peuvent paraître dérisoires, comme celui du colibri qui porte de l'eau pour éteindre l'incendie (voir p. 10). Est-ce une raison pour ne pas les accomplir ? Quels sont les trois gestes minuscules que tu as déjà accomplis et qui font de toi un Terrien heureux ?

Le poids d'un flocon de neige

Une mésange et une colombe étaient posées sur une branche lorsque, soudain, la mésange demanda à son amie :

– À ton avis, combien pèse un flocon de neige ?

– Un flocon de neige, dit la colombe en souriant, rien d'autre que rien. C'est plus léger que l'air.

Alors la mésange raconta à la colombe :

– Figure-toi qu'il n'y a pas si longtemps j'étais sur une branche de sapin lorsqu'il se mit à neiger. Pas une tempête, non ! juste une neige tranquille et calme. Comme je n'avais rien de mieux à faire, je commençai à compter les flocons qui tombaient sur la branche où je me tenais. Il en tomba 73 641. Lorsque le 73 642e tomba sur la branche, celle-ci cassa.

Alors qu'en penses-tu ? Le poids d'un flocon de neige, n'est rien d'autre que rien !?

Conte chrétien contemporain

Dans l'atelier du philosophe

Dans la nature, beaucoup de choses prises individuellement ne sont rien, mais réunies elles peuvent constituer une force gigantesque. Les gouttes d'eau de la mer, les grains de sable, la neige des avalanches, les millions de vers de terre qui fertilisent un champ, les pucerons ou les sauterelles qui détruisent une récolte, les cellules de notre organisme, etc.
Ne négligeons pas les choses infimes qui ne le sont pas toujours autant qu'on le croit, reportées à grande échelle. Éteindre la lumière quand on quitte une pièce, aller à l'école à vélo plutôt qu'en voiture, voilà des petits gestes qui comptent, si tout le monde s'y met. En connais-tu d'autres ?

prévoyance inconscience
avenir
ressources naturelles

L'ingratitude de la gazelle

À l'heure de midi, une gazelle se désaltérait à l'eau fraîche d'un ruisseau lorsque des chasseurs la surprirent. Par bonheur pour elle, alors qu'il bandait son arc, un des hommes fit craquer une branche sous son pied.
La gazelle leva les yeux et fila sans demander son reste.
Dans sa fuite, elle aperçut un petit bouquet d'arbres et s'y réfugia en retenant son souffle. Les chasseurs passèrent tout près… mais les feuilles qui s'étaient resserrées autour d'elle la dissimulèrent à leurs yeux.

Hélas, tout près de sa bouche, la gazelle sentait la bonne odeur des feuilles fraîches et elle ne put s'empêcher de les grignoter.

Les feuilles se mirent à gémir. Mais les oiseaux sur les branches s'en étonnèrent :

– Pourquoi gémissez-vous ? N'êtes-vous pas depuis toujours la nourriture des gazelles ?

Les feuilles répondirent :

– Ce n'est pas sur nous que nous pleurons, mais sur elle. En nous mangeant, elle se condamne à mourir.

Et elles gémissaient de plus belle !

La gazelle, tout occupée à savourer le tendre feuillage, n'entendait pas leurs avertissements. Aveuglée par son désir, elle grignota les feuilles une à une et finit par dénuder les branches autour d'elle. Alors les chasseurs l'aperçurent et la criblèrent de flèches.

D'après un conte traditionnel arabe

Dans l'atelier du philosophe En mangeant sans retenue les feuilles qui la protégeaient, la gazelle s'est rendue responsable de sa propre mort. Voyons-y une métaphore de notre rapport à la Terre, qui nous nourrit, qui nous protège et que nous faisons mourir en la surexploitant, au risque de mourir avec elle – une idée que l'on peut résumer par une formule cinglante attribuée aux Amérindiens : « Si les hommes crachent sur la Terre, ils crachent sur eux-mêmes. » Penses-tu pouvoir agir à ton propre niveau ? Ou bien ce combat pour la sauvegarde de la planète te paraît-il du seul devoir de nos dirigeants ?

L'ignorance du mal

Il était une fois un garçon qui était d'une méchanceté sans égale. Il ne se passait pas une journée sans qu'il ne commette quelque terrible bêtise.
Un jour, il résolut d'emmener son chien sur le fleuve pour le noyer. Il le mit dans sa barque et la dirigea vers le milieu du fleuve.

Mais en ramant, il se pencha trop et tomba à l'eau.
– Au secours, à moi, je me noie ! criait-il désespérément.
Et le chien fidèle plongea, attrapa le garçon par son vêtement et le tira jusqu'à la berge.

Conte africain

Dans l'atelier du philosophe La méchanceté gratuite semble bien être une spécificité humaine, inconnue des autres espèces vivantes. Certes, les animaux se dévorent entre eux, mais uniquement dans le but de subsister et de permettre à leur espèce de se perpétuer. Un lion repu n'attaquera pas la gazelle qui passe à sa portée… Il arrive par ailleurs que des chiens se sacrifient pour leurs maîtres ou que des dauphins sauvent des marins de la noyade. Les animaux seraient-ils plus « moraux » que les hommes ? Penses-tu qu'ils puissent faire preuve de générosité ou bien est-ce simplement un instinct « machinal » qui les pousse à agir ?

Pause poétique

LA PARENTÉ

Nous sommes la famille de tout ce qui pousse, grandit, mûrit, se fane, meurt et renaît.
Chaque enfant a de nombreux parents, oncles et tantes, frères et sœurs, grands-parents. Les grands-parents sont les morts et les collines. Les enfants de la terre et du soleil, arrosés par les pluies femelles et les pluies mâles, sont tous parents des graines, du maïs, des fleuves et des renards qui hurlent en annonçant comment sera l'année qui vient. Les pierres sont parentes des couleuvres et des petits lézards. Le maïs et le haricot sont frères, et grandissent ensemble sans se bagarrer. Les pommes de terre sont filles et mères de celui qui les plante, car celui qui crée est créé.
Tout est sacré, et nous aussi. Parfois nous sommes des dieux et les dieux sont, parfois, de simples petites personnes. Ainsi disent, ainsi savent, les Indiens des Andes.

Eduardo Galeano (né en 1940), extrait de *Sens dessus dessous*

Soyons subversifs. Révoltons-nous contre l'ignorance, l'indifférence, la cruauté, qui d'ailleurs ne s'exercent si souvent contre l'homme que parce qu'elles se sont fait la main sur les bêtes. Rappelons-nous, puisqu'il faut toujours tout ramener à nous-mêmes, qu'il y aurait moins d'enfants martyrs s'il y avait moins d'animaux torturés, moins de wagons plombés amenant à la mort les victimes de quelconques dictatures si nous n'avions pas pris l'habitude de fourgons où des bêtes agonisent sans nourriture et sans eau en route vers l'abattoir.

Extrait d'un message envoyé par Marguerite Yourcenar (1903-1987) à l'OABA (œuvre d'assistance aux bêtes d'abattoir) en 1981

« **Tu n'écraseras intentionnellement** ni insectes ni fourmis
Tu n'effrayeras ni ne chasseras les oiseaux qui couvent
Tu ne te serviras ni d'hameçons ni de flèches pour t'en faire un amusement
Tu ne cueilleras ni n'arracheras sans raison les fleurs ou l'herbe
Tu n'abattras point d'arbres par plaisir
Tu ne tireras point de leur terrier les animaux hivernant sous terre
Tu ne verseras point d'eau bouillante sur le sol pour faire périr des insectes ou des fourmis. »

Règle des moines taoïstes chinois, citée par Albert Schweitzer (1875-1965) dans *Les Grands Penseurs de l'Inde*

Les canards mandarins

On raconte dans la Chine ancienne que, suite à un chagrin d'amour, un jeune étudiant s'était fait chasseur. Il courait désormais les bois et vivait de la vente des animaux qu'il tuait.
Un soir, alors qu'il avait dressé sa cabane au bord d'un lac, il transperça d'une de ses flèches un canard mandarin. Il l'attacha au sommet d'une perche devant sa cabane et alla dormir.

Mais au cœur de son sommeil, un bruit le réveilla. Une sorte de « flap flap ! », comme un bruit d'ailes.
« Le canard n'est sans doute que blessé, songea-t-il. Il se débat au bout de la perche. »
Il prit son couteau et sortit. Le canard était bien mort. C'était sa femelle qui était venue le rejoindre et battait des ailes au-dessus de lui. Le jeune homme essaya de la chasser en la menaçant de son couteau, mais elle resta là, impassible. Elle demeura ainsi les jours suivants et se laissa mourir près de son compagnon.
Le cœur brisé par tant d'amour, le chasseur abandonna son arc et ses flèches. On dit qu'il se fit moine et mena dès lors une

existence faite de respect et de compassion envers toutes les créatures vivantes. Jamais plus il ne fit de mal, pas même au plus insignifiant des insectes... et il resta dans les mémoires comme un saint homme.

D'après un conte bouddhiste chinois

Dans l'atelier du philosophe

Le monde animal nous offre souvent des sujets d'émerveillement et d'admiration. Des oies sauvages soutiennent de leurs ailes une de leur compagne blessée en vol par un chasseur. Des chiens font des centaines de kilomètres pour retrouver leur maître ou se laissent mourir de chagrin à leur disparition. Des dauphins sauvent des marins de la noyade... On a envie de parler à leur propos de compassion, de fidélité, de courage, de sacrifice.
Pourquoi donc, à ton avis, notre civilisation occidentale a-t-elle durant des siècles nié ces réalités... allant même, comme l'a fait le philosophe Descartes, jusqu'à ne voir dans les animaux que des « mécaniques » indignes de toute considération ?
Penses-tu que nous cohabitons, humains et animaux, de manière harmonieuse et respectueuse ?

Le mur mitoyen

Dans la ville de Bagdad, le palais de Moulay Idriss était tout proche du palais de Moulay Hassan. Un seul mur les séparait. Mais les deux hommes ne s'aimaient pas. C'est peu de dire qu'ils ne s'aimaient pas, disons même qu'ils se détestaient.

Or, un jour, un maçon s'aperçut que, sous le mur mitoyen, des termites avaient formé une colonie. Il alla trouver Moulay Idriss et lui expliqua que s'il ne faisait rien, le mur risquait non seulement de s'écrouler, mais aussi de faire effondrer la toiture de son palais. Car les termites qui nichent sous la terre se nourrissent des murs de torchis et des boiseries.

– Ce n'est pas seulement mon mur à moi, répliqua Moulay Idriss, c'est aussi le mur de Moulay Hassan. Va donc le trouver ! C'est à lui de payer !
Le maçon se rendit donc chez Moulay Hassan. Mais celui-ci, qui était aussi avare que son voisin, lui rétorqua :
– Pourquoi viens-tu me voir, moi ? Pourquoi ne vas-tu pas trouver ce coquin de Moulay Idriss ?
Le maçon dut bien avouer que c'était déjà chose faite, mais sans succès… ce qui mit Moulay Hassan en fureur :
– Comment ! Ce vieil avare cousu d'or ne veut pas payer ! Eh bien, je ne paierai pas non plus.
La querelle prit de l'importance. Les deux hommes s'insultèrent, s'obstinèrent à refuser de faire les travaux. Et au bout du compte, le mur s'écroula et les deux palais avec lui.

Fable de l'auteur

Dans l'atelier du philosophe

En lisant cette fable, on a l'impression de se retrouver dans une de ces conférences internationales où se joue le sort de la planète. Chaque pays est bien conscient que les choses sont d'une gravité extrême, mais aucun ne veut faire un effort, aucun ne veut ralentir ses activités et prendre des mesures afin de moins polluer. Chaque État juge que c'est d'abord aux autres de faire un effort ! Les pays les plus riches font la morale aux pays les plus pauvres : ils exigent que ceux-ci se développent sans pollution, alors qu'eux-mêmes ont acquis leurs richesses grâce aux industries polluantes et rechignent à changer leur mode de vie. Faudra-t-il que le mur s'écroule pour qu'on prenne enfin de véritables décisions ?

Le loup et les bergers

Le loup, vous le savez, est depuis toujours l'animal le plus craint et le plus détesté. Sa tête est mise à prix. On organise des battues pour s'en débarrasser. Et lorsqu'une mère veut effrayer son enfant, elle invoque sa menace.

Or, il advint, un jour, qu'un de ces loups trouva pareille renommée insupportable. Il n'acceptait plus tant de haine universelle.

« Tout cela pour la chair de quelques moutons ! se dit-il. Je préfère encore me passer de manger ces bêtes... »

Il décida donc sur-le-champ de brouter désormais l'herbe des prés.

Mais alors qu'il prenait au fond de son cœur cette belle décision, il huma dans l'air une bonne odeur qui l'attira. Cela venait d'une clairière, à deux pas. Il s'approcha, et que vit-il ? Des bergers mangeant un agneau cuit en broche.

« Comment ? se dit-il. Les hommes et leurs chiens font impunément ce qu'ils me reprochent, et moi, je devrais mourir de faim tandis qu'ils se repaissent ? Non, non ! Plus de pitié. Je ne changerai pas de régime pour plaire à pareils hypocrites ! »

D'après la fable « Le Loup et les Bergers »
de Jean de la Fontaine (1621-1695)

Dans l'atelier du philosophe

Que penses-tu du raisonnement de ce loup imaginé par Jean de La Fontaine ? Sommes-nous, comme il le prétend, de grands hypocrites donneurs de leçons ?
Acceptes-tu de savoir que les grands élevages bovins produisent du fumier qui pollue les sols et les nappes phréatiques, que le fourrage que l'on donne aux vaches est cultivé à grand renfort de pesticides et nécessite beaucoup d'eau, qu'il occupe des champs immenses qui prennent souvent la place des cultures destinées aux populations locales qui meurent alors de faim ?
Le sachant, acceptes-tu d'en tirer des conséquences ? Serais-tu prêt, par exemple, à manger moins de viande, ou même à t'en passer ?

Les deux cousins

Un paysan vivait heureux sur son bout de champ, avec ses quelques vaches... jusqu'au jour où son cousin, qui était médecin dans la capitale, vint le visiter.
Il lui raconta toutes les belles choses qu'on avait à la ville et que le paysan ne connaissait pas, tous les produits nouveaux, les inventions extraordinaires. Au début, cela fit juste rêver notre paysan, mais bientôt, l'idée de tant de bien-être le remplit d'amertume. Il trouva qu'il menait dans sa campagne une vie bien misérable. Qu'à cela ne tienne ! Son cousin, qui n'était pas avare de conseils, lui expliqua comment changer sa vie ! Il lui suffisait d'emprunter de l'argent (il connaissait d'ailleurs un banquier), d'acheter de la terre, d'augmenter son troupeau et de s'enrichir.
C'était simple comme bonjour !
Notre paysan se lança dans

l'aventure avec enthousiasme.
Il emprunta, travailla sans relâche, ne prenant plus un jour de congé, acheta des champs, de nouvelles vaches, des tracteurs, des machines à moissonner. Il agrandit sa maison, la dota de tout le luxe possible. Du matin au soir il trimait, économisant sou après sou pour rembourser... mais faisant toujours de nouveaux emprunts pour s'agrandir encore.
Lorsqu'il arriva à soixante ans, épuisé par toutes ces années de travail acharné, il alla voir son cousin médecin. Celui-ci lui trouva le cœur bien fatigué et le mit en garde.
– Si tu ne te reposes pas, tu ne feras pas de vieux os ! Écoute mes conseils ! Vends ta propriété, ne garde que quelques vaches, un bout de champ et tu vivras comme un roi !

Crois-en le médecin que je suis : une vie simple est la clé d'une bonne santé !
Le paysan sentit la colère le gagner.
– Mais pourquoi diable ne m'as-tu pas dit cela il y a trente ans ? répliqua-t-il. Cela m'aurait économisé bien de la peine !

Fable de l'auteur

Dans l'atelier du philosophe

Le médecin de l'histoire ressemble un peu aux journalistes des médias (revues, journaux, télévision) qui ont poussé les gens à placer leurs biens en Bourse, à s'acharner au travail, à consommer le plus possible... et qui leur reprochent aujourd'hui leurs pertes financières ou leur mauvaise hygiène de vie : « Si vous n'allez pas bien, c'est votre faute ! Vous fumez trop ! Vous mangez trop, trop gras, trop sucré ! Votre travail vous stresse trop ! »
Et toi, aimes-tu suivre les modes, les styles de vie que le marketing nous impose par matraquage continuel ? Comment y résister ?

Le prix des paniers

Sur la place du marché, dans un village de l'arrière-pays, un vieil homme vendait quelques paniers de noisetier. C'étaient des paniers de sa fabrication, ils étaient magnifiques, soignés, de grande qualité.
Un homme d'affaires passa par là et admira les superbes paniers.
– Combien coûtent ces paniers ? demanda-t-il.
– C'est 20 euros le panier, répondit le vieux.
– Je reconnais que c'est un prix raisonnable ! Mais si je vous passe une commande de cent paniers, proposa l'homme d'affaires, quel prix me faites-vous ?
Le vieux réfléchit longuement, calcula correctement dans sa tête et finalement répondit :
– Ça vous fera 10 000 euros !

L'homme d'affaires arrondit les yeux, incrédule.
– Mais comment ?... C'est absurde, c'est beaucoup trop cher !
– Ah non, ce n'est pas trop cher, parce que, voyez-vous, faire un panier, c'est agréable, mais en faire cent, ça ne m'amuse plus du tout !

Histoire drôle racontée
en Périgord

Dans l'atelier du philosophe

Travailler, faire un bel ouvrage peut procurer beaucoup de satisfaction. Mais lorsque cela devient une tâche répétitive, le travail perd tout son sens. Au lieu de nous épanouir, il fait de nous des esclaves. C'est ce qu'a dénoncé Charlie Chaplin avec beaucoup d'humour dans son superbe film *Les Temps modernes*. Le progrès, grâce aux machines, devait libérer l'homme. Ne nous a-t-il pas aussi asservis, en nous transformant en machines ?

L'homme obèse

Un homme obèse vint voir le grand sage Nasreddine* pour trouver une solution à ses bourrelets, qu'il ne supportait plus.
Nasreddine le regarda longtemps avant de lui annoncer, sur un ton prophétique :
– Ne te prive pas, l'ami, cela ne sert à rien, parce que dans un mois ta vie prendra fin.
Vert de peur et tremblant de tous ses membres, l'homme rentra chez lui. Il ne trouva plus le repos. Le sommeil déserta ses paupières... Les bons plats que sa femme lui préparait ne suscitaient plus chez lui aucune envie, aucun appétit. De telle sorte qu'au bout d'un mois, il était devenu mince et méconnaissable.

* Nasreddine Hodja : figure de l'humour et de la sagesse chez les Arabes, les Turcs et les Persans depuis le XIIIe siècle.

Lorsque la date fatidique arriva sans que la mort ne se présente, l'homme retourna voir Nasreddine.

– Mais, Nasreddine, tu t'es trompé complètement, puisque me voilà encore vivant.

– J'espère que tu le resteras encore de longues années ; mais c'était le seul moyen que j'avais pour te faire maigrir.

Fable traditionnelle de Nasreddine Hodja

Dans l'atelier du philosophe

Est-ce à dire que seule la peur de la mort peut rendre certaines personnes raisonnables ? Et doit-on attendre les catastrophes pour agir en faveur de notre environnement ?

Publicité ou mensonge

Le directeur d'une agence de publicité était en vacances chez son cousin à la campagne. Un dimanche, il l'accompagna sur le marché provençal où celui-ci vendait les produits de sa ferme. Les clients étaient rares, hésitants... et il lui fallut toute une journée pour vendre ce qu'il avait apporté.
Le soir, le publicitaire voulut mettre ses talents au service de son parent.
– Tu ne t'y prends pas comme il faut, lui dit-il. Il est indispensable que tu te différencies de tes concurrents, que tu donnes envie aux clients d'acheter tes produits. On va fabriquer ensemble de beaux panneaux qui t'assureront une vente rapide. Pour ton vin, je te suggère

d'écrire : *nectar de raisin grand cru, primé au concours viticole de Châteauneuf-des-Vignes*.
– Mais mon vin n'a jamais été primé ! s'offusqua le paysan.
– Ce n'est pas grave. Personne ne le saura. Pour tes confitures... on marquera : *délice d'abricots cuits au chaudron, selon la recette de Tante Marie*.
– Mais je n'ai pas de Tante Marie !

– Qu'importe ! L'essentiel, c'est la formule ! Pour tes œufs... que dirais-tu de : *issus de poules de race élevées en plein air* ?
– Impossible ! Mes poules passent leur vie dans le poulailler !
– Qui le sait ?! Et pour ton miel, il faut quelque chose qui fasse pur et authentique... Pourquoi pas : *miel récolté en ruches traditionnelles, reconnu pour ses vertus médicinales*.
Le paysan secoua la tête et refusa ses services.
– Je ne doute pas, lui dit-il, qu'avec ta méthode je vendrais mes produits deux fois plus vite... et certainement même en vendrais-je deux fois plus. Mais, vois-tu, lorsque les autres marchands verront ma

réussite, ils ne tarderont pas à m'imiter. Nous sommes ici un petit village. Nous nous connaissons tous et avons confiance les uns envers les autres. Je ne voudrais pas perdre cette confiance… et soupçonner mes voisins de me mentir comme je leur mentirais. Ma foi, je vieillirai moins riche, mais je garderai le cœur en paix.

Fable de l'auteur

Dans l'atelier du philosophe

Au fil des ans, les techniques de la publicité ont évolué pour glisser vers un mensonge autorisé. Il ne s'agit plus de vanter les qualités d'un produit, mais de prendre le contre-pied de leurs défauts pour les nier. Par exemple, moins un produit est naturel, plus le clip publicitaire tentera de faire croire le contraire… les budgets dépensés à cet effet dépassant souvent de très loin ceux de la fabrication même du produit.
De manière plus inquiétante, les techniques publicitaires ont envahi tout le champ social. Les médias, les hommes politiques font appel à des communicants qui n'hésitent pas à pratiquer les mêmes méthodes, au détriment de toute honnêteté. Le résultat est une perte totale de crédibilité envers nos élites.
Ce qui était simplement destiné à aider à la commercialisation de produits a fini par se généraliser, jusqu'à nuire au fonctionnement même de la société.
T'arrive-t-il parfois d'être agacé par la multiplication des messages publicitaires (sur les murs, à la télé, sur ton ordinateur…) ? Ou bien les trouves-tu simplement amusants ?

La belle montre en or

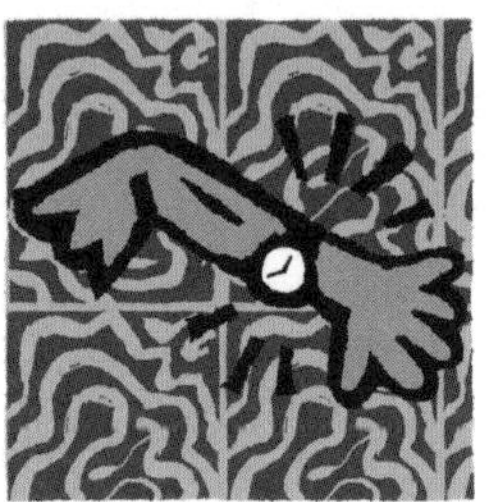

Une voiture explose à la sortie de Moscou. Le conducteur émerge des décombres et gémit :
– Ma Mercedes... Ma Mercedes...
Quelqu'un lui dit :
– Mais monsieur... Qu'importe la voiture ! Vous ne voyez pas que vous avez perdu un bras ?
Et, regardant son moignon sanglant, l'homme pleure :
– Ma Rolex* ! Ma Rolex !

Blague des pays de l'Est racontée par Eduardo Galeano (né en 1940) dans *Sens dessus dessous*

Dans l'atelier du philosophe Cette histoire est une blague que l'on raconte dans les pays de l'Est depuis la chute du mur de Berlin. L'argent, la richesse y sont devenus, comme partout, les seules valeurs qui comptent... jusqu'à l'absurde !

* Montre de très grand prix.

Le partage

Un jour, Nasreddine*, le fou sage, sortait de la mosquée accompagné de son voisin Moustafa. Devant la porte, il y avait un homme endormi. C'était un pauvre mendiant qui passait ses journées et ses nuits dehors, qu'il pleuve ou qu'il fasse beau, qu'il fasse froid ou qu'il fasse chaud, pour la simple raison qu'il n'avait pas de maison.

– Laisser cet homme dans la rue est une honte pour la communauté, dit Nasreddine. Si j'avais deux maisons, je lui en aurais donné une.

– C'est vrai ? dit le voisin.

– Sans aucun doute ! Il faut partager dans la vie !

– Et supposons que tu aies deux jardins, tu lui en donnerais un ?

– Absolument !

– Et si tu avais deux chevaux ?

– Il va de soi que je lui en donnerais un.

– Et si tu avais deux vaches ?

* Nasreddine Hodja : figure de l'humour et de la sagesse chez les Arabes, les Turcs et les Persans depuis le XIIIe siècle.

– Je lui donnerais la plus belle.
– Magnifique ! Et si tu avais deux poules ?
– Ah non ! Il n'en est pas question.
– Je ne comprends pas : comment peux-tu lui refuser une poule alors que tu as accepté de lui donner une maison, un jardin, un cheval et une vache ?
– C'est que je n'ai pas deux maisons, ni deux jardins, encore moins deux chevaux ou deux vaches, mais j'ai deux poules.

Fable traditionnelle de Nasreddine Hodja

Dans l'atelier du philosophe

Avec beaucoup d'humour, Nasreddine, le fou sage, nous pointe du doigt les limites de notre générosité. En parole, il est facile de donner… surtout ce qu'on ne possède pas. Dans la réalité, c'est bien plus difficile.
Voilà pourquoi on ne doit pas compter sur la charité pour gommer les inégalités trop criantes. Cela doit être le rôle des États, grâce aux impôts que nous payons. Ce que ne peut faire un individu, la collectivité le peut, à condition que les lois lui en donnent la charge.
Il faut cesser de raisonner uniquement en termes individuels : nous devons prendre en compte le monde qui nous entoure, la planète que nous habitons, mais aussi les gens qui vivent avec nous. Et toi, lorsque tu as deux choses semblables, pratiques-tu parfois le partage ?

Salat-a-zein

Ali était un cordonnier qui avait perdu son travail et en avait été réduit à se faire mendiant. Il se plaignait sans cesse de sa mauvaise fortune. Mais un jour qu'il suppliait le ciel de l'aider, un grand aigle surgit des nuées et l'emporta dans les airs. Il vola longtemps puis le déposa près d'une ville étrange. Ali y pénétra et la première chose qu'il vit le remplit de stupéfaction. Sur le marché, au lieu de payer, les clients se contentaient de dire un certain nombre de fois « *Salat-a-zein* ! »* et ils étaient servis.

Voyant un cordonnier comme lui, Ali le questionna sur ce prodige. Celui-ci lui expliqua que dans ce pays c'était ainsi. Si l'on avait besoin d'un poulet pour le repas, on se contentait de dire cinq fois *salat-a-zein* au marchand et l'on était servi. Si l'on voulait des

* *Salat-a-zein* : C'est merveilleux !

chaussures, on disait dix fois *salat-a-zein* et l'on repartait chaussé. Par contre, dans ce pays-là, on n'avait pas le droit de prendre plus que ce dont on avait besoin.

Ali demanda s'il pouvait rester. Et le cordonnier lui dit :

– Bien sûr... Si tu respectes nos règles, tu peux rester autant que tu veux. Je me fais vieux et j'ai besoin de quelqu'un pour m'aider. Deviens mon associé !

Ali accepta avec enthousiasme. Et l'humble mendiant devint très vite un cordonnier respecté. Mais il n'avait, hélas, pas perdu les vieilles habitudes de son ancienne vie.

Un jour qu'il se trouvait au marché, il aperçut sur l'étal du poissonnier un poisson énorme et magnifique.

– Combien coûte-t-il ? demanda Ali.

– Cinquante *salat-a-zein*, répondit le marchand. C'est un très gros poisson, bien utile pour une famille nombreuse, comme la tienne, je suppose.

Ali ne lui répondit pas et se contenta de répéter cinquante fois *salat-a-zein*, puis il partit

avec le poisson. Il le fit cuire dans une énorme marmite, mais au moment du repas, il ne parvint pas à en venir à bout. Il avait eu les yeux plus gros que le ventre !
Un peu inquiet, il décida d'aller jeter discrètement les restes au bord de la mer. Mais au moment où il gaspillait ainsi la nourriture, un grand aigle surgit du ciel, l'emporta dans ses serres et Ali se retrouva mendiant devant son ancienne mosquée.

Adapté d'un conte arabe raconté par le conteur Jihad Darwiche (né en 1951)

Dans l'atelier du philosophe Quelle belle utopie ! Un pays où il n'y aurait pas d'argent et où chacun prendrait simplement ce dont il a besoin. Plus de misère, de pauvreté, ni de gaspillage… mais aussi, en contrepartie, plus de richesses, de luxe, ni de volonté d'enrichissement et de puissance ! L'homme en sera-t-il un jour capable ? Ou bien est-ce dans sa nature de ne concevoir le bonheur que dans le dépassement et la compétition ?

Naturellement, naturellement

Il y avait en pays kabyle un tout petit village perché au sommet d'une montagne, si modeste qu'il n'y avait même pas de route pour y accéder. Il fallait y monter à pied par un chemin de terre qui grimpait, grimpait sans arrêt. Pourtant, de nombreux touristes venaient le visiter, car ce village était indiqué dans les guides.
Au milieu de la montée, un vieil homme qui aimait bien parler avec les gens avait construit une cabane. Ainsi, quand des touristes venaient, ils s'arrêtaient pour se reposer et buvaient avec lui un verre de thé.
Un jour d'été, le vieil homme avait avec lui son petit-fils lorsqu'un touriste est arrivé. Il faisait chaud et le touriste était épuisé.
Il a bu un verre de thé, puis a repris son chemin vers le village.

Une heure après, il est redescendu et il était de très mauvaise humeur.
– Ce village ne vaut rien, dit-il au grand-père et à son petit-fils. Il n'est pas beau, ses maisons sont en terre, ses enfants sont pieds nus, il y a de la poussière partout, et même des coqs, des poules et des vaches au milieu de la rue. Quant aux femmes, elles lavent le linge dans l'eau froide de la rivière. Vraiment, quel village de misère !
Le vieil homme a regardé le touriste et lui a dit :
– Naturellement, naturellement !
Il n'était pas plus tôt parti qu'un autre touriste est arrivé. Il a bu un thé, puis a repris lui aussi sa route vers le village. Il y est resté trois heures, quatre heures, cinq heures ; et juste avant le coucher du soleil, il est repassé par la cabane pour bavarder.
– Vraiment, leur a-t-il dit, ce village est extraordinaire ! Il est magnifique. Ses maisons sont en terre, les enfants pieds nus y jouent dans la poussière. Il y a des coqs, des poules et des vaches

dans les rues. Quant aux femmes, comme elles sont belles lorsqu'elles lavent le linge dans la rivière !
Le vieil homme l'a regardé avec un sourire et lui a dit :
– Naturellement, naturellement !
Lorsqu'il a été parti, l'enfant a regardé son grand-père et lui a dit :

– Je ne comprends pas. L'un a dit que le village n'était pas beau, l'autre qu'il était magnifique... et à chacun tu as répondu : « Naturellement, naturellement ! »
Le grand-père a regardé l'enfant en souriant et lui a dit :
– Naturellement, naturellement !
Comme il ne comprenait toujours pas, le vieil homme lui a expliqué :
– Écoute bien, mon fils. Chacun voit la vie avec ce qu'il porte dans son cœur !
Et l'enfant lui a répondu :
– Naturellement, naturellement !

D'après Jihad Darwiche (né en 1951),
CD *Les Trois Paroles et autres contes*

Dans l'atelier du philosophe

C'est notre regard sur les choses qui leur donnent leur prix. Elles peuvent nous enthousiasmer, nous rendre heureux, comme nous laisser tristes et indifférents. Un paysage, une musique, une conversation entre amis peuvent être sources d'une grande joie ou d'un profond ennui. Gardons à l'esprit que le bonheur dépend de notre attitude, de notre regard.
Évitons de devenir blasés ! Soyons attentifs et prêts à l'émerveillement. C'est sans doute là l'un des secrets d'une vie heureuse.
Connais-tu des personnes dans le genre des deux touristes, les unes prêtes à tout dénigrer, les autres à s'enthousiasmer ?

Pause poétique

Quand l'homme n'aura plus de place pour la nature,
peut-être la nature n'aura-t-elle plus de place pour l'homme.

Stefan Edberg (né en 1966), sportif suédois

Le melon a été divisé en tranches par la nature afin d'être mangé en famille. La citrouille étant plus grosse peut être mangée avec les voisins.

Bernardin de Saint-Pierre (1737-1814),
extrait d'*Étude de la nature*, 1784

L'émouvante et incroyable splendeur de la Terre est notre bien commun le plus précieux, que nul ne peut s'approprier ; car nous ne possédons ni la brise délicate du printemps qui enivre de ses caresses les fins matins d'avril, ni le rougeoiement du Soleil lorsqu'il baisse à l'horizon, ni la face hilare de l'astre des nuits qui tantôt offre sa joue droite, tantôt la gauche, et chichement son visage tout entier, ni la douceur d'un soir d'été rythmé par la stridulation des cigales, embaumé de senteurs d'herbes et d'humus, ni l'odeur chaude et parfumée des fenaisons après la pluie.
Ce qu'il y a de beau et de plus précieux en ce monde, qui pourtant est le plus commun et le moins rare, ne nous appartient pas ! Il nous appartient en revanche de le conserver jalousement comme un trésor, comme le patrimoine collectif inviolable de l'humanité. Telle est la mission qui nous est confiée. Nous l'avons héritée de nos parents et des parents de nos parents, et il nous revient de nous en acquitter afin de transmettre à nos enfants et aux enfants de nos enfants notre maison commune, la Terre, en bon état : propre, bien soignée, correctement vêtue.

Jean-Marie Pelt (né en 1933), président de l'Institut européen d'écologie, extrait de la préface de *Paroles de nature*

Mots-clés

accumulation.....66
altruisme.....10, 17, 46
animaux.....61, 104, 108, 114
argent.....15, 66
avenir.....17, 23, 72, 101, 121
beauté.....132
besoin.....26 40, 46, 49, 58, 64, 66, 87, 129
bêtise.....111, 126
bien et mal.....104
biodiversité.....32, 84
bon sens.....28, 76, 78, 111, 132
bonheur.....20, 92, 132
catastrophes naturelles.....12, 98
charité.....127
choix de société.....46, 76
choix de vie.....81
citoyenneté.....10, 46, 95
civilisation.....81
commerce.....119, 123
communauté.....95
compassion.....108
confort.....26, 43, 58
conscience.....15, 43, 54
consommation.....40, 49, 51, 58, 66, 87
création.....38, 61
culture.....35
décroissance.....40
désir.....64, 126, 129
don.....127
écologie.....8, 12, 38, 54, 61, 72, 78, 84
éducation.....54
engagement.....10
équilibre.....12, 20, 32, 38, 69, 78, 84
gaspillage.....51, 129
générosité.....127
gratuité.....15, 92
humour.....119, 123, 126, 127
immortalité.....72
inconscience.....23, 66, 101, 121
insouciance.....23
instinct.....104
mode de vie.....92
modération.....40, 43, 51, 84
morale.....104
mythe.....69
nature.....32, 35, 54, 69, 81, 92, 98
nécessaire.....26, 43, 58, 87
paraître.....126
partage.....46, 81

patience....................................20, 28
pollution....................................64, 114
possession........26, 43, 49, 87, 126
prévision..23
prévoyance..............17, 84, 101, 121
prise de conscience................121
progrès....................................81, 116
protection.......................................54
prudence..23
publicité................................116, 123
réaction en chaîne......................12
respect.....................................32, 54
responsabilité...........10, 17, 95, 111
responsabilité collective...........12
ressources naturelles.......51, 66, 84, 101
risque..12
rythmes naturels..........................35
sagesse...........26, 28, 98, 108, 132
santé...116
science..............................69, 72, 76
sens..15
sens de la vie.......................72, 119
sérénité..28
société...................................64, 129
solidarité...................17, 46, 111, 127
solidarité entre générations...17
superflu........26, 40, 43, 49, 58, 87
tempérance...................................116
temps...28
terre...76
union..46
végétarisme...........................108, 114

Bibliographie

Les adultes désirant aller plus loin dans ce monde des fables et des contes philosophiques pourront lire :

Carrière (Jean-Claude), *Le Cercle des menteurs, Contes philosophiques du monde entier*, 2 tomes, Plon, 1998 et 2008

Collectif, *Écologie et spiritualité*, Albin Michel, 2006

Darwiche (Jihad), CD *Les Trois Paroles et autres contes*, Quatrain, 1997

Darwiche (Jihad), *Sagesses et malices de Nasreddine, le fou qui était sage*, 3 tomes, Albin Michel, 2000, 2003 et 2007

Deshimaru (Taisen), *Le Bol et le Bâton, 120 Contes zen*, Albin Michel, « Spiritualités vivantes », 1986

Galeano (Eduardo), *Sens dessus dessous, L'École du monde à l'envers*, Homnisphères, 2004

Goldsmith (Édouard), *Le Tao de l'écologie, Une vision écologique du monde*, Éditions du Rocher, 2002

Gougaud (Henri), *L'Almanach*, Panama, 2006

Leopold (Aldo), *Almanach d'un comté des sables*, GF-Flammarion, 2000

Monod Théodore, *L'Hippopotame et le philosophe*, Actes Sud, 1993

Pelt (Jean-Marie), *Paroles de nature*, Albin Michel, « Carnets de sagesse », 1995

Pelt (Jean-Marie), *La Terre en héritage*, Fayard, 2000

Pelt (Jean-Marie), *Les Dons précieux de la nature*, Fayard, 2010

Piquemal (Michel), *Paroles indiennes*, Albin Michel, « Carnets de sagesse », 1993

Rabhi (Pierre), *La Part du colibri, L'Espèce humaine face à son devenir*, Éditions de l'Aube/Festival du livre de Mouans-Sartoux, « Voix libres », 2005

Rabhi (Pierre), *Conscience et environnement, La Symphonie de la vie*, Éditions du Relié, 2006

Rousselot (Jean), *Du blé de poésie*, L'Idée bleue, « Le Farfadet bleu », 1997

Saint-Exupéry (Antoine de), *Terre des hommes*, [1939], Gallimard, « Folio », 1972

Schweitzer (Albert), *Les Grands Penseurs de l'Inde*, [1936], Payot, « Petite Bibliothèque Payot », 2004

Tagore (Rabindranath), *L'Offrande lyrique*, [1910], Gallimard, « Poésie », 1971, traduction d'André Gide

Thoreau (Henry David), *Walden ou la Vie dans les bois*, [1854], L'Âge d'homme, 1985

Dans la même collection, du même auteur :

Mon premier livre de sagesse

Les Philo-fables

Les Philo-fables pour vivre ensemble

Récits fabuleux de la mythologie

Le Conteur philosophe

Site de l'auteur : www.michelpiquemal.com

Éditions Albin Michel Jeunesse
22, rue Huyghens, 75014 Paris – www.albin-michel.fr
Loi 49-956 du 16 juillet 1949 sur les publications destinées à la jeunesse
Dépôt légal : premier semestre 2015
N° d'édition : 19213/4 – ISBN-13 : 978 2 226 31558 8
Imprimé en France chez Pollina s.a. - 82449